KOCHFI

2 in 1

+100 köstliche einfache Fischrezepte

Anja Ziegler, Adriana Mayer

Haftungsausschluss

Die enthaltenen Informationen sollen als umfassende Sammlung von Strategien dienen, über die der Autor dieses eBooks recherchiert hat. Zusammenfassungen, Strategien, Tipps und Tricks sind nur Empfehlungen des Autors. Das Lesen dieses eBooks garantiert nicht, dass die Ergebnisse genau den Ergebnissen des Autors entsprechen. Der Autor des eBooks hat alle zumutbaren Anstrengungen unternommen, um den Lesern des eBooks aktuelle und genaue Informationen zur Verfügung zu stellen. Der Autor und seine Mitarbeiter haften nicht für unbeabsichtigte Fehler oder Auslassungen. Das Material im eBook kann Informationen von Dritten enthalten. Materialien von Drittanbietern bestehen aus Meinungen, die von ihren Eigentümern geäußert wurden. Daher übernimmt der Autor des eBooks keine Verantwortung oder Haftung für Material oder Meinungen Dritter.

Sommario

Wie man Fisch auf gesunde Weise kocht

50 frische und köstliche Rezepte

Adriana Mayer

Haftungsausschluss

Die enthaltenen Informationen sollen als umfassende Sammlung von Strategien dienen, über die der Autor dieses eBooks recherchiert hat. Zusammenfassungen, Strategien, Tipps und Tricks sind nur Empfehlungen des Autors. Das Lesen dieses eBooks garantiert nicht, dass die Ergebnisse genau den Ergebnissen des Autors entsprechen. Der Autor des eBooks hat alle zumutbaren Anstrengungen unternommen, um den Lesern des eBooks aktuelle und genaue Informationen zur Verfügung zu stellen. Der Autor und seine Mitarbeiter haften nicht für unbeabsichtigte Fehler oder Auslassungen. Das Material im eBook kann Informationen von Dritten enthalten. Materialien von Drittanbietern bestehen aus Meinungen, die von ihren Eigentümern geäußert wurden. Daher übernimmt der Autor des eBooks keine Verantwortung oder Haftung für Material oder Meinungen Dritter.

EINFÜHRUNG

Eine pescatarianische Diät ist eine flexible vegetarische Diät, die Fisch und andere Meeresfrüchte umfasst. Wenn Sie einer vegetarischen Ernährung Fisch hinzufügen, profitieren Sie von folgenden Vorteilen:

Fischprotein erhöht das Sättigungsgefühl im Vergleich zu

Rindfleisch und Huhn. Dies bedeutet, dass Sie sich schnell satt

fühlen und nicht zu viel essen. Wenn Sie ein paar Pfund

abnehmen möchten, ist es der richtige Zeitpunkt, um eine

pescatarianische Diät zu beginnen.

Calcium ist äußerst wichtig für Ihre Knochengesundheit. Das bloße Essen von Gemüse versorgt Ihren Körper nicht mit ausreichend Kalzium. Aber das Hinzufügen von Fisch zu einer vegetarischen Ernährung tut es

Fetthaltiger Fisch ist eine großartige Quelle für Omega-3-Fettsäuren. Diese Säuren senken Entzündungen im Körper, was wiederum das Risiko für Fettleibigkeit, Diabetes und Herzerkrankungen verringert.

Im Vergleich zu anderen tierischen Proteinen trägt der Verzehr von Fisch weniger zur Treibhausgasemission bei. So können Sie die Umwelt und Ihre Gesundheit schützen.

Für manche kann es langweilig sein, nur Gemüse, Obst und Nüsse zu essen. Das Hinzufügen von Fisch oder anderen

Meeresfrüchten verbessert den Geschmack und die allgemeine Stimmung beim Mittag- und / oder Abendessen.

Viele Menschen sind allergisch gegen Eier, laktoseintolerant oder möchten möglicherweise Fleisch oder Milchprodukte nicht essen. Für sie kann Fisch eine gute Quelle für komplettes Protein, Kalzium und gesunde Fette sein.

WAS ESSEN PESCATARIANS?

MEERESFRÜCHTE: Makrele, Barsch, Schellfisch, Lachs, Thunfisch, Hilsa, Sardinen, Pomfret, Karpfen, Kabeljau, Kaviar, Muscheln, Krebse, Austern, Garnelen, Hummer, Krabben, Tintenfische und Jakobsmuscheln.

GEMÜSE: Spinat, Mangold, Radieschen, Karottengrün, Bengal-Gramm-Grün, Rote Beete, Karotte, Brokkoli, Blumenkohl, Kohl, Chinakohl, Süßkartoffel, Radieschen, Rübe, Pastinake, Grünkohl, Gurke und Tomate.

FRÜCHTE: Apfel, Banane, Avocado, Erdbeeren, Brombeeren, Maulbeeren, Blaubeeren, Stachelbeeren, Ananas, Papaya, Drachenfrucht, Passionsfrucht, Wassermelone, Warzenmelone, Guave, Pfirsich, Birne, Pluot, Pflaume und Mango.

PROTEIN: Kidneybohnen, Linsen, Fisch, Pilze, Bengal-Gramm, Sprossen, schwarzäugige Erbsen, Kuherbsen, Kichererbsenbohnen, Sojabohnen, Sojamilch, Edamame und Tofu.

GANZKÖRNER: Brauner Reis, Gerste, Weizenbruch, Sorghum, Mehrkornbrot und Mehrkornmehl.

FETTE & ÖLE: Olivenöl, Avocadoöl, Fischöl, Ghee, Sonnenblumenbutter und Reiskleieöl.

Nüsse & Samen Mandeln, Walnüsse, Pistazien, Macadamia, Pinienkerne, Haselnüsse, Sonnenblumenkerne, Melonensamen, Kürbiskerne, Chiasamen und Leinsamen.

Kräuter Gewürze Koriander, Dill, Fenchel, Petersilie, Oregano, Thymian, Lorbeerblatt, Chiliflocken, Chilipulver, rotes Kashmiri-Chilipulver, Kurkuma, Koriander, Kreuzkümmel, Senfkörner, englischer Senf, Senfpaste, Sternanis, Safran, Kardamom, Nelke, Knoblauch, Zimt, Ingwer, Muskatblüte, Muskatnuss, Piment, Zwiebelpulver, Knoblauchpulver und Ingwerpulver.

GETRÄNKE: Wasser, Kokoswasser, Entgiftungswasser und frisch gepresste Obst- / Gemüsesäfte.

Mit diesen Zutaten können Sie leicht einen Diätplan erstellen, der ernährungsphysiologisch ausgewogen ist. Schauen Sie sich dieses Beispiel für einen pescatarischen Diätplan an.

MEERESFRÜCHTESALAT

Portionen: 6

ZUTATEN

- 300 g Orecchiette-Nudeln
- 1 kleine Aubergine, in 1 cm große Stücke geschnitten
- 1 rote Zwiebel, in Keile geschnitten
- 1 roter Paprika, in 1 cm große Stücke geschnitten
- 2 gehackte Knoblauchzehen
- 1/2 Tasse (125 ml) natives Olivenöl extra
- 250 g Körbchen-Kirschtomaten, halbiert
- 1/3 Tasse (80 ml) Weißwein
- 500g topffertige Muscheln
- 6 kleine Tintenfische, gereinigt, in Ringe geschnitten, Tentakeln reserviert
- 1 Esslöffel Weißweinessig

- 1 Esslöffel Chili-Tomatenmark
- 1/3 Tasse gehackte Petersilie
- 1/4 Tasse (35 g) gehackte halbgetrocknete Tomaten
- Rucola geht, um zu dienen

VORBEREITUNG

Den Backofen auf 220 Grad vorheizen und ein Backblech mit Folie auslegen.

Die Nudeln abtropfen lassen und gemäß den Anweisungen in der Packung rehydrieren.

Die Auberginen, Zwiebeln und Paprika mit Knoblauch und 2 EL Öl würzen. 15 Minuten oder bis sie weich sind auf dem ausgekleideten Backblech kochen. Weitere 6-8 Minuten kochen lassen oder bis die Tomaten weich geworden sind.

Den Wein in einem großen Topf bei mittlerer Hitze zum Kochen bringen. Mit einem Deckel abdecken und 3 Minuten kochen lassen oder bis sich alle Muscheln geöffnet haben. Entfernen Sie die Muscheln aus ihren Schalen und lassen Sie einige für die Dekoration.

In einer breiten Pfanne 1 Esslöffel Öl bei starker Hitze erhitzen. Den Tintenfisch würzen und 1 Minute braten, dabei einmal drehen oder bis er goldbraun ist. Aus der Gleichung streichen.

In einer Rührschüssel Essig, Tomatenmark und Petersilie mit den restlichen 65 ml Öl vermischen. Es ist diese Jahreszeit. Zum Essen die Meeresfrüchte, das geröstete Gemüse, die halbgetrocknete Tomate und die Rucola mit dem Dressing in eine Schüssel geben.

Gebratenes Meeresfrüchte mit Zitrone und Kräutern

Portionen: 4

ZUTATEN

- 8 Scampi, halbiert, gereinigt
- 8 große grüne Garnelen
- 8 Jakobsmuscheln auf der Halbschale
- 1/4 Tasse (60 ml) Olivenöl
- 2 Knoblauchzehen, fein gehackt
- Fein geriebene Schale und Saft von 1 Zitrone sowie Zitronenschnitze zum Servieren
- 2 Esslöffel gehackter Zitronenthymian oder Thymian
- 2 Esslöffel gehackte Petersilie

VORBEREITUNG

Heizen Sie den Ofen auf 200 ° C oder 400 ° C vor, wenn Sie einen Holzofen verwenden.

Die Meeresfrüchte in einer Schicht in einer großen Auflaufform anrichten. Öl, Knoblauch, Zitronenschale, Saft und Thymian in einer Tasse mischen, dann die Mischung über die Meeresfrüchte streichen und würzen. 10 Minuten backen (oder 5-7 Minuten in der Mitte eines Holzofens) oder bis die Meeresfrüchte gekocht sind. Mit Zitronenschnitzen und etwas Petersilie servieren.

SEAFOOD COCKTAIL VON KÖNIG PRAWN, AVOCADO UND BASIL

Portionen: 4

ZUTATEN

- 1 Karotte, geschält und gewürfelt
- 600 g gekochte Riesengarnelen, geschält und entdarmt
- 3 Frühlingszwiebeln, dünn geschnitten (nur grüner Teil)
- 1/2 Gurke, geschält, entkernt und in 5 mm große Würfel geschnitten
- 1 Avocado, fein gewürfelt
- 2 EL Kapern, grob gehackt
- Geriebene Schale von 1 Limette
- 18g Schneeerbsenranken
- DRESSING

- 1 EL Limettensaft
- 2 EL Verjuice
- 1 EL Mayonnaise
- 1 EL Olivenöl
- 4 EL frisch gehacktes Basilikum

VORBEREITUNG

Für das Dressing alle Zutaten (außer Basilikum) in einer Rührschüssel verquirlen. Nach dem Würzen mit Salz und Pfeffer beiseite stellen.

Karottenquadrate 3 Minuten in kochendem Wasser kochen. Nach dem Abtropfen in kaltem Wasser abspülen. 4 Garnelen werden beiseite gestellt und ganz gelassen. Die restlichen Garnelen, Karotten, Frühlingszwiebeln, Gurken, Avocados, Kapern und Limettenschalen in einer Rührschüssel vermischen.

FRUTTA DI MARE ALL'ACQUA PAZZA (MEERESFRÜCHTE IN VERRÜCKTEM WASSER)

Portionen: 6

ZUTATEN

- 1 Tasse (250 ml) trockener Weißwein
- 400 g Muscheln, geschrubbt, entbeint
- 1/3 Tasse (80 ml) Olivenöl
- 3 Knoblauchzehen, fein gehackt
- 1/4 Teelöffel getrocknete Chiliflocken
- 400g Dose Ardmona Rich & Thick Classic Tomatoes
- 2 Lorbeerblätter
- 1 Thymianzweig

- 6 x 80 g ganzer kleiner Fisch (wie Seestern oder Wittling), gereinigt
- 2 x 80 g Rotbarbenfilets, in 3 Stücke geschnitten
- 6 grüne Garnelen, geschält (Schwänze intakt), entdarmt
- 3 ganze kleine Tintenfische (siehe Hinweis), gereinigt, Röhren und Tentakeln getrennt
- 2 Esslöffel fein gehackte Petersilie

VORBEREITUNG

Den Wein in einen großen Topf geben und bei mittlerer Hitze zum Kochen bringen. Die Muscheln hinzufügen, abdecken und 2-3 Minuten kochen lassen. Die Pfanne regelmäßig schütteln, bis sich die Muscheln geöffnet haben (diejenigen, die dies nicht getan haben, wegwerfen). Nach dem Sieben und Aufbewahren der Kochflüssigkeit beiseite stellen.

In einer breiten Pfanne 2 Esslöffel Öl bei mittlerer Hitze erhitzen. Unter ständigem Rühren 2-3 Minuten kochen lassen, bis Knoblauch und Chili weich und duftend sind. Die beiseite gestellten Tomaten, Lorbeerblätter, Thymian und Muschelflüssigkeit hineingeben. Reduzieren Sie die Hitze auf niedrig und kochen Sie 3-4 Minuten lang weiter oder bis die Flüssigkeit leicht reduziert ist. Die Muscheln mit Meersalz und frisch gemahlenem Pfeffer in der Pfanne würzen, abdecken und warm halten.

In der Zwischenzeit die restlichen Meeresfrüchte würzen. In einer breiten Pfanne die restlichen 2 Esslöffel Öl bei mittlerer bis hoher Hitze erhitzen. Den ganzen Fisch bei Bedarf 2-3 Minuten pro Seite kochen, bis er fertig ist. Dann herausnehmen und beiseite stellen. Die Meeräsche und die Garnelen auf jeder Seite 1 Minute lang separat kochen, bis sie durchgegart sind, dann beiseite stellen. 30 Sekunden unter ständigem Rühren kochen, bis der Tintenfisch gerade fertig ist. Gießen Sie die heiße Brühe über die Muscheln und teilen Sie die Meeresfrüchte auf die Servierschalen. Mit etwas Petersilie servieren.

SOPA DE ARROZ Y PESCADO (REIS- UND MEERESFRÜCHTSUPPE)

Portionen: 4

ZUTATEN

- 1/4 Tasse (60 ml) Olivenöl
- 1 Zwiebel, fein gehackt
- 2 gehackte Knoblauchzehen
- 1 frische Chorizo, gehäutet, gehackt
- 1 Karotte, gehackt
- 1 Teelöffel geriebene Orangenschale
- 2L Fisch- oder Hühnerbrühe
- 400g können gehackte Tomaten
- 1/3 Tasse (75 g) Calasparra oder Arborio Reis

- 200 g hautloses Lachsfilet, ohne Knochen, in 2 cm große Würfel geschnitten
- 2 kleine Tintenfischröhrchen, gereinigt, in Ringe geschnitten
- 12 grüne Garnelen, geschält (Schwänze intakt), entdarmt
- 2 Esslöffel gehackte Petersilie
- Gehacktes hart gekochtes Ei zum Garnieren

VORBEREITUNG

In einem breiten Topf 2 Esslöffel Öl bei mittlerer Hitze erhitzen. Zwiebel, Knoblauch, Chorizo, Karotte und Schale in einer großen Rührschüssel vermischen. Unter regelmäßigem Rühren 10 Minuten kochen lassen oder bis das Gemüse weich ist und die Chorizo knusprig wird. Brühe, Tomate und Reis zum Kochen bringen, dann auf niedrige Hitze reduzieren und 15 Minuten kochen lassen oder bis der Reis al dente ist.

In einer breiten Pfanne den restlichen 1 Esslöffel Öl bei starker Hitze erhitzen. Würzen Sie die Meeresfrüchte und kochen Sie sie 1 Minute lang, falls erforderlich, in Chargen, bis sie nur noch undurchsichtig sind. Rühren Sie die Meeresfrüchte in die Suppe und kochen Sie sie eine weitere Minute lang oder bis sie vollständig erhitzt ist. In Schalen gießen und mit Petersilie und einem Ei garnieren, falls gewünscht.

SPANISCHER MEERESFRÜCHTSALAT

Portionen: 4

ZUTATEN

- 1 kg Muscheln
- 200 ml trockener Weißwein
- 1 Esslöffel Sherryessig oder Rotweinessig
- 2 Esslöffel natives Olivenöl extra
- 1 Knoblauchzehe, zerkleinert
- 1 grüner Paprika, fein gehackt
- 1 rote Zwiebel, dünn geschnitten
- 250 g Körbchen-Kirschtomaten, halbiert
- 1/4 Tasse Korianderzweige
- 1 Esslöffel Olivenöl

- 1/2 Chorizo-Wurst, dünn in Runden geschnitten
- 12 Jakobsmuscheln (ohne Rogen)
- 1 Teelöffel geräucherter Paprika (Pimenton)
- Safranreis (optional) und Zitronenschnitze zum Servieren

VORBEREITUNG

Die Muscheln eine Stunde lang in kaltem Wasser einweichen und das Wasser zweimal einstellen (dies hilft, jeglichen Schmutz zu entfernen). Lassen Sie alle Muscheln mit gespaltenen Muscheln oder solchen, die sich nicht schließen, wenn Sie scharf auf die Bank klopfen, abtropfen. Gut schrubben und Bärte rasieren.

In einem Topf bei mittlerer Hitze den Wein zum Kochen bringen und 1 Minute köcheln lassen. Fügen Sie die Muscheln hinzu, decken Sie sie ab und kochen Sie sie 2 Minuten lang bei mittlerer Hitze. Entfernen Sie die geöffneten Muscheln. Noch eine Minute kochen lassen oder bis sich alle Muscheln geöffnet haben. Entfernen Sie die Flüssigkeit aus dem Sieb und legen Sie sie beiseite.

Essig, natives Öl extra und Knoblauch in einer Rührschüssel mit 2-3 Esslöffeln der reservierten Muschelflüssigkeit verquirlen. Paprika, Kohl, Tomate und Koriander untermischen.

In einer breiten Pfanne das Olivenöl bei mittlerer bis hoher Hitze erhitzen. Auf jeder Hand 1 Minute kochen lassen oder bis die Chorizo braun und die Jakobsmuscheln golden sind. Mit Salat und Safranreis servieren, nachdem die Muscheln mit Jakobsmuscheln, Chorizo und Pfannensäften geworfen wurden. Mit einer Prise Zitrone und etwas Paprika servieren.

GEGRILLTE MUSCHELFISCHE MIT SHERRY VINAIGRETTE

Portionen: 8

ZUTATEN

- 1 kg Muscheln, geschrubbt, entbeint
- 600g ganzer kleiner Tintenfisch, gereinigt, Tentakeln und Röhrchen getrennt
- 2 EL Olivenöl
- 2 Tomaten
- 1 kg gekochte Garnelen, geschält, entdarmt, längs halbiert
- 2 EL gehackte Petersilie
- 1 rote Zwiebel, dünn geschnitten
- 1 grüner Paprika, fein gehackt

- 1 roter Paprika, fein gehackt
- 4 Frühlingszwiebeln, dünn in einem Winkel geschnitten
- Knuspriges Brot zum Servieren (optional)
- VINAIGRETTE
- 1/2 Tasse (125 ml) natives Olivenöl extra
- 2 EL Sherryessig * oder Rotweinessig
- 2 Knoblauchzehen, zerkleinert

VORBEREITUNG

Muscheln mit gespaltenen Muscheln oder solche, die sich nach einem scharfen Klopfen auf die Bank nicht schließen lassen, sollten weggeworfen werden.

Legen Sie die Muscheln und 2 Esslöffel Wasser in einen großen, tiefen Topf bei starker Hitze, decken Sie sie ab und kochen Sie sie 2-3 Minuten lang. Schütteln Sie die Pfanne und rühren Sie sie nach etwa 1 Minute gut um. Entfernen Sie sie beim Öffnen. Eine weitere Minute kochen lassen oder bis sich alle Muscheln geöffnet haben. Von der Sonne nehmen, abtropfen lassen und zum Abkühlen beiseite stellen. Entfernen Sie die Muscheln aus den Muscheln und legen Sie sie in eine breite Rührschüssel, bis sie kühl genug sind, um sie zu behandeln. Zurückgesetzt, geschützt.

In der Zwischenzeit die Tintenfischröhrchen in 1 cm lange Ringe teilen und breite Tentakelsträuße der Länge nach halbieren. In einer breiten Pfanne 1 Esslöffel Öl bei starker Hitze erhitzen. Unter regelmäßigem Rühren etwa 2 Minuten kochen lassen oder bis der Tintenfisch leicht karamellisiert und durchgegart ist. Mit frisch gemahlenem schwarzen Pfeffer und Meersalz würzen und zum Abkühlen auf einen Teller legen. Wiederholen Sie den Vorgang mit dem restlichen Öl und Tintenfisch.

Machen Sie in der Basis jeder Tomate ein kleines Kreuz. 20 Sekunden in einem großen Topf mit kochendem Wasser blanchieren und dann 30 Sekunden in einer Schüssel mit Eiswasser abkühlen lassen. Nachdem Sie die Tomaten geschält haben, vierteln Sie sie und schneiden Sie die Samen. Nach dem Schneiden in Streifen mit den Muscheln in die Schüssel geben.

Werfen Sie die Muscheln mit Garnelen, Tintenfisch, Petersilie, roten Zwiebeln, Paprika und Frühlingszwiebeln und mischen Sie sie vorsichtig. Abdecken und mindestens 15 Minuten kalt stellen - der Salat kann zu diesem Zeitpunkt bis zu 2 Stunden lang gekühlt werden.

MARISCOS FRITOS (GEMISCHTE MEERESFRÜCHTE) MIT ROMESCO SOSSE

Portionen: 8

ZUTATEN

- Sonnenblumenöl zum Frittieren
- 600 g kleiner ganzer Tintenfisch, gereinigt, Tentakeln und Röhrchen getrennt
- 400 g John Dory-Filets, in 5 cm große Stücke geschnitten
- 16 geschälte grüne Garnelen (Schwänze intakt), entdarmt
- Feiner Grieß * zum Überziehen
- Zitronenschnitze zum Servieren

- Romesco-Sauce (ergibt 300 ml)
- 2 reife Tomaten, halbiert
- 8 Haselnüsse
- 1/2 Tasse (125 ml) Olivenöl
- 1 Scheibe ein Tag altes Weißbrot, Kruste entfernt, zerrissen
- 4 gehackte Knoblauchzehen
- 1 1/2 TL getrocknete Chiliflocken
- 1 EL Sherryessig * oder Rotweinessig

VORBEREITUNG

Den Backofen auf 200 Grad vorheizen. Legen Sie die Tomaten mit der Schnittseite nach oben in eine kleine Bratpfanne für die Romesco-Sauce. Mit Salz und Pfeffer würzen und 25 Minuten backen oder bis sie weich sind. Legen Sie die Nüsse auf ein Backblech und rösten Sie sie die letzten 5 Minuten leicht im Ofen.

Lassen Sie die Tomaten abkühlen, bevor Sie sie schälen. Entfernen Sie die Schalen von den Nüssen, indem Sie sie in einem sauberen Geschirrtuch einreiben. In einer separaten Pfanne 2 EL Öl bei mittlerer Hitze erhitzen. Fügen Sie das Brot hinzu und kochen Sie es 3-4 Minuten lang, indem Sie es einmal drehen, bis es goldbraun ist. Fügen Sie den Knoblauch für die letzten 2 Minuten hinzu. Vor dem Umfüllen in eine Küchenmaschine etwas abkühlen lassen. Tomaten, Nüsse, Chili, Essig, 1/3 Tasse Olivenöl, 1/2 Teelöffel Salz und eine Prise schwarzen Pfeffer dazugeben. Mischen, bis es absolut glatt ist. (Sauce kann bis zu zwei Tage gekühlt werden.)

3.Heizen Sie eine Fritteuse oder einen großen, tiefen Topf, der zur Hälfte mit Sonnenblumenöl gefüllt ist, auf 190 ° C (ein

Brotwürfel wird in 30 Sekunden golden, wenn das Öl heiß genug ist).

4. Schneiden Sie die Tintenfischröhrchen in 1 cm große Scheiben und halbieren Sie dann die großen Tentakelbüschel der Länge nach. Alle Fische sollten gut gewürzt sein. Mit jeweils vier Bits arbeiten, vollständig mit Grieß abdecken und Abfall abschütteln.

5. Ein Viertel des Fisches und der Garnelen 1 Minute lang oder bis sie goldgelb sind, tief braten. Lassen Sie die Papiertücher einige Minuten abtropfen, bevor Sie sie auf einer Platte anrichten. Ein Viertel des Tintenfischs 30 Sekunden lang goldbraun und knusprig frittieren, dann vor dem Servieren auf einem Papiertuch abtropfen lassen. Sofort mit Zitronenschnitzen und Romesco-Sauce servieren.

MEXIKANISCHE MEERESFRÜCHTSUPPE

Portionen: 4

ZUTATEN

- 1/4 Tasse (60 ml) Olivenöl
- 500 g hochwertige Meeresfrüchte-Marinara-Mischung
- 1 Teelöffel geräucherter Paprika (Pimenton) (siehe Hinweis)
- 1 Zwiebel, fein gehackt
- 2 Knoblauchzehen, in Scheiben geschnitten
- 1 roter Paprika, in dünne Scheiben geschnitten
- 2 Jalapeno oder lange grüne Chilischoten, Samen entfernt, fein gehackt
- 1/2 Teelöffel getrockneter Oregano

- 3 Teelöffel gemahlener Koriander
- 3 Teelöffel gemahlener Kreuzkümmel
- 1 Teelöffel Chiliflocken (optional)
- 2 x 400 g Dosen gehackte Tomaten
- 500 ml Fisch- oder Hühnerbrühe von guter Qualität
- 2 Maiskolben
- Geriebene Schale & Saft von 1 Limette
- Saure Sahne, gehackte Avocado, Korianderblätter und gegrillte Tortillas zum Servieren

VORBEREITUNG

1.Erhitzen Sie das Öl in einer breiten Pfanne bei starker Hitze. Werfen Sie die Meeresfrüchte mit der Hälfte des Paprikas in eine Schüssel, würzen Sie sie und kochen Sie sie 2-3 Minuten lang, indem Sie sie einmal drehen, bis die Meeresfrüchte leicht angebraten und gerade gekocht sind. Nehmen Sie die Meeresfrüchte aus der Pfanne und legen Sie sie beiseite.

2.Die Zwiebel in die Pfanne geben und unter gelegentlichem Rühren 1-2 Minuten kochen, bis sie weich ist. Unter ständigem Rühren 2 Minuten kochen lassen, bis Knoblauch, Paprika, Chili, getrocknete Kräuter, Gewürze und der verbleibende halbe Teelöffel Paprika weich sind. Reduzieren Sie die Hitze auf mittel-niedrig und fügen Sie die Tomate und die Brühe hinzu. Unter regelmäßigem Rühren 12-15 Minuten köcheln lassen oder bis es leicht eingedickt ist.

3. Maiskörner aus Maiskolben schneiden. Tragen Sie die Körner zusammen mit den gekochten Meeresfrüchten auf die Suppe auf. Zum Aufheizen 2 Minuten köcheln lassen. Nehmen Sie die Pfanne vom Herd und fügen Sie die Limettenschale und den Saft hinzu. Es ist diese Jahreszeit.

4.Servieren Sie die Suppe in vier Schalen mit Sauerrahm, Avocado, Koriander und weichen Tortillas.

SEAFOOD CURRY)

Portionen: 4

ZUTATEN

- 2 getrocknete rote Chilischoten, in kochendem Wasser eingeweicht, abgetropft, gehackt
- 3 gehackte Knoblauchzehen
- 1 Esslöffel geriebene frische Kurkuma
- 2 Esslöffel geriebener Galangal
- 2 Zitronengrasstiele (nur innerer Kern), gerieben
- 2 Eschalots, gehackt
- Fein geriebene Schale von 1 Limette
- 1 Esslöffel Garnelenpaste
- 1/4 Tasse (65 g) geriebener Palmzucker
- 6 Kaffirlimettenblätter, fein zerkleinert
- 400 ml Kokosmilch

- 400 g hautloses Filet mit blauen Augen, in 3-4 cm große Stücke geschnitten
- 12 grüne Garnelen, geschält (Schwänze intakt), entdarmt
- 2 Bananenblätter
- 1 lange rote Chili, in dünne Scheiben geschnitten
- Gedämpfter Reis zum Servieren

VORBEREITUNG

1. In einem Mörser und Stößel oder einer kleinen Küchenmaschine Chili, Knoblauch, Kurkuma, Galangal, Zitronengras, Eschalot, Limettenschale, Garnelenpaste, Palmzucker, die Hälfte der Kaffernlimettenblätter und 2 Teelöffel Salz fein rühren Formulare einfügen.

2.Übertragen Sie die Paste auf eine mittelgroße Pfanne und kochen Sie sie unter ständigem Rühren 3-4 Minuten lang oder bis sie duftet. Bringen Sie die Kokosmilch zum Kochen und reservieren Sie 2 Esslöffel zum Servieren. Von der Sonne nehmen, in eine Tasse gießen und beiseite stellen, um etwas abzukühlen. Werfen Sie die Meeresfrüchte hinein, um sie zu mischen.

MEERESFRÜCHTE MIT ROUILLE

Portionen: 4

ZUTATEN

- 20 ml (1 Esslöffel) Olivenöl
- 1 Zwiebel, dünn geschnitten
- 2 Knoblauchzehen, zerkleinert
- 400g Kipfler Kartoffeln, geschält, in Scheiben geschnitten
- 1/2 Teelöffel Safran
- 250 ml (1 Tasse) Weißwein
- 2 Esslöffel sonnengetrocknete Tomatenmark
- 400g können Tomaten zerkleinern
- 300ml Fischbrühe
- 1 Esslöffel gehackter frischer Rosmarin
- 300 g festes weißes Fischfilet, in Stücke geschnitten

- 400 g schwarze Muscheln, geschrubbt, bärtig
- Geröstetes Baguette zum Servieren

ROUILLE

- 1 gerösteter roter Paprika
- 1 Kartoffel, geschält, gekocht, gewürfelt
- 2 gehackte Knoblauchzehen
- 1 Eigelb
- 125 ml (1/2 Tasse) Olivenöl

VORBEREITUNG

1. In einer großen Pfanne das Öl bei mittlerer Hitze erhitzen. 1 Minute kochen lassen oder bis die Zwiebel weich ist. Nach Zugabe von Knoblauch, Kartoffel, Safran und Wein 2 Minuten köcheln lassen. Nach Zugabe von Tomatenmark, Zwiebeln, Brühe und Rosmarin 15 Minuten kochen lassen.

2. Paprika, Kartoffel, Knoblauch und Eigelb mit Salz und Pfeffer in einer Küchenmaschine würzen, um die Rouille zuzubereiten. Nach dem Kombinieren der Zutaten das Öl in einem dünnen, gleichmäßigen Strahl einrieseln lassen, bis eine glatte Emulsion entsteht.

3.Salzen und pfeffern Sie den Eintopf, bevor Sie den Fisch und die Muscheln hinzufügen. Bedeckt weitere 5 Minuten kochen lassen. Nehmen Sie den Deckel ab und entsorgen Sie nicht geöffnete Muscheln. Mit geröstetem Baguette und einem Schuss Rouille auf dem Eintopf servieren.

SEAFOOD BISQUE

Portionen: 6

ZUTATEN

- 1 Esslöffel natives Olivenöl extra
- 1 Esslöffel ungesalzene Butter
- 1 große Zwiebel, fein gehackt
- 1 mittelstieliger Sellerie, fein gehackt
- 2 Esslöffel Mehl
- 1/2 Teelöffel Cayennepfeffer
- 2 Teelöffel Paprika
- 1 Esslöffel Tomatenmark
- 1 l (4 Tassen) Fischbrühe
- 250 ml (1 Tasse) Weißwein
- 400g grüne Garnelen, geschält, Schwänze an, entdarmt

- 1 kg gemischte Meeresfrüchte (wie in 2 cm große Würfel geschnittene weiße Fischfilets, Muscheln, Calamari und Jakobsmuscheln)
- 2-3 Teelöffel Zitronensaft
- 100 ml dünne Creme
- 1 Esslöffel gehackte Petersilie
- Knuspriges Brot zum Servieren

VORBEREITUNG

1. In einem kleinen Topf Öl und Butter bei mittlerer Hitze erhitzen. 2-3 Minuten köcheln lassen oder bis Zwiebel und Sellerie weich sind.

2. Reis, Cayennepfeffer und Paprika hinzufügen und 1-2 Minuten unter ständigem Rühren kochen. Nach Zugabe der Tomatenmark noch eine Minute kochen lassen.

3.Fischen Sie die Fischbrühe nach und nach hinzu, reduzieren Sie die Hitze auf niedrig und kochen Sie sie 5 Minuten lang. Lassen Sie es etwas abkühlen, bevor Sie die Chargen mischen und in die Pfanne zurückkehren.

4. Bringen Sie den Weißwein und 250 ml Wasser in einem Topf bei mittlerer Hitze zum Kochen. Abdecken und 5 Minuten mit den Garnelen und Meeresfrüchten kochen. Trennen Sie die Flüssigkeit mit einem Sieb von den Meeresfrüchten. (Werfen Sie nicht geöffnete Muscheln weg.)

5.Erhitzen Sie die Suppe vorsichtig und verquirlen Sie den gekochten Fisch, den Zitronensaft und die Sahne. Zum Mischen alles zusammen rühren.

6.Laden Sie die Biskuitcreme in Schalen und belegen Sie sie mit gehackter Petersilie und viel knusprigem Brot.

TROPICAL SEAFOOD COCKTAIL

Portionen: 6

ZUTATEN

- 200 ml Kokosmilch
- 1 Esslöffel geriebener frischer Ingwer
- 1 Zitronengrasstiel (nur blasser Teil), fein gehackt
- 1 lange rote Chili, Samen entfernt, fein gehackt
- 150 g dicker Joghurt nach griechischer Art
- 2 Esslöffel fein gehackte Minzblätter sowie zusätzliche Blätter zum Servieren
- Geriebene Schale und Saft von 1 Limette sowie zusätzliche Limettenschnitze zum Servieren
- 300 g kleine gekochte Garnelen, geschält
- 1 kleiner gekochter Hummer, halbiert, Fleisch in 2 cm große Würfel geschnitten

- 200 g frisches Krabbenfleisch
- 1/4 kleiner Eisbergsalat, zerkleinert

VORBEREITUNG

1. Kombinieren Sie in einer Pfanne die Kokosmilch, Ingwer, Zitronengras und die Hälfte der Chili. Bei mittlerer Hitze zum Kochen bringen, dann auf niedrige Hitze reduzieren und 2 Minuten lang weitergaren oder bis die Sauce eingedickt ist (sie wird ziemlich dick sein). 30 Minuten ziehen lassen, bevor in eine breite Schüssel gesiebt und auf die Feststoffe gedrückt wird. Nach dem Verwerfen der Feststoffe Joghurt, Minze, Limettenschale und Saft sowie die restlichen Chilis in einer Rührschüssel vermischen.

2. Werfen Sie die Garnelen, den Hummer und das Krabbenfleisch in das Kokosnuss-Dressing, bis es vollständig überzogen ist. Zum Servieren den Salat in 6 gekühlte Serviergläser teilen, mit der Meeresfrüchtemischung belegen und mit zusätzlichen Minz- und Limettenschnitzen garnieren.

BARBECUED SEAFOOD MIT TRUFFLED MASH

Portionen: 4

ZUTATEN

- 1/4 Tasse (60 ml) Olivenöl
- 3 Knoblauchzehen, zerkleinert
- 2 Esslöffel gehackte Petersilie
- Geriebene Schale und Saft von 1 Zitrone sowie Zitronenschnitze zum Servieren
- 4 Scampi (siehe Hinweis), längs halbiert, gereinigt
- 8 große grüne Garnelen, geschält (Kopf und Schwanz intakt), entdarmt
- 8 große Jakobsmuscheln ohne Rogen
- 1-2 Teelöffel Trüffelsalz (siehe Hinweis) (optional)

- Gekleidete Brunnenkressezweige zum Servieren

TRUFFLED MASH

- 500 g Pontiac- oder Wunschkartoffeln, geschält
- 80 g ungesalzene Butter
- 50 ml eingedickte Creme
- 1 Esslöffel Trüffelöl (siehe Hinweis) plus extra zum Nieseln

VORBEREITUNG

1Mischen Sie in einer großen Rührschüssel Olivenöl, Knoblauch, Petersilie, Zitronenschale und Saft. Drehen Sie die Scampi, Garnelen und Jakobsmuscheln in der Mischung, um sie zu beschichten, bedecken Sie sie und kühlen Sie sie, während Sie den Trüffelbrei machen.

2.Um die Kartoffeln zu pürieren, zu dämpfen oder zu kochen, bis sie 8-10 Minuten lang in Salzwasser weich sind. Abgießen und mit einer Kartoffelpresse oder einer Gabel glatt pürieren. Butter, Milch und Trüffelöl einrühren, dann mit Meersalz und frisch gemahlenem schwarzen Pfeffer abschmecken. Warm halten durch Abdecken.

3.Heizen Sie eine Grillpfanne oder einen Grill auf mittelhoch. Garnelen und Scampi auf jeder Seite 2 Minuten kochen, bei Bedarf in Chargen, bis sie durchgegart sind. Fügen Sie die Jakobsmuscheln für die letzte Minute des Kochens hinzu und drehen Sie sie nach 30 Sekunden, bis sie außen goldbraun und innen noch durchscheinend sind.

4. Zum Servieren den Trüffelbrei auf Teller verteilen und mit zusätzlichem Trüffelöl beträufeln. Mit Kresseblättern und

Zitronenschnitzen sowie auf Wunsch mit Trüffelsalz auf Garnelen, Scampi und Jakobsmuscheln servieren.

MEERESFRÜCHTE TEMPURA

Portionen: 16

ZUTATEN

- 500g gereinigter Tintenfisch (Hauben und Tentakeln)
- 40 grüne Tigergarnelen
- Johngory-Filet mit 500 g Haut
- Sonnenblumen- oder Rapsöl zum Frittieren

SÜSSE CHILLI UND FÜNF-GEWÜRZ-DIPP-SAUCE

- 300ml Thai süße Chilisauce
- 2 EL leichte Sojasauce
- 1/2 TL Fünf-Gewürz-Pulver
- TEMPURA BATTER
- 1 1/2 Tassen (225 g) Mehl
- 1 1/2 Tassen (225 g) Maismehl

- 500-600 ml eiskaltes Sodawasser (aus einer neuen Flasche)

VORBEREITUNG

1.Um die Dip-Sauce zuzubereiten, kombinieren Sie alle Zutaten in einer kleinen Schüssel mit 1/4 Tasse (60 ml) kaltem Wasser. Aus der Gleichung streichen.

2. Teilen Sie die Tentakel paarweise und schneiden Sie die Tintenfischhauben in 1 cm dicke Ringe. Entfernen Sie die Köpfe und schälen Sie die Garnelen, wobei Sie die Schwänze zurücklassen. Schneiden Sie den Fisch in dicke Streifen von der Größe Ihres Zeigefingers, indem Sie ihn diagonal quer schneiden.

MITTELMEER-MEERESFRÜCHTE TARTS MIT AIOLI

Portionen: 6

ZUTATEN

- 1/4 Tasse (60 ml) Olivenöl plus extra zum Bürsten
- 2 x 120 g hautlose Lachsfilets
- 12 Jakobsmuscheln mit Rogen
- 12 gekochte Garnelen, geschält (Schwänze intakt)
- 1 1/2 Esslöffel Zitronensaft
- 1 Esslöffel gehackter Dill plus Zweige zum Servieren
- Fenchel-Petersilie-Salat mit Olivenöl und Zitronensaft zum Servieren
- GEBÄCK
- 2 Tassen (300 g) Mehl

- 150 g gekühlte ungesalzene Butter, gehackt
- 1/2 Teelöffel Cayennepfeffer
- 2 Eigelb

AIOLI

- 1 Tasse (250 ml) Rapsöl
- 50 ml natives Olivenöl extra mit Zitrone
- 4 Knoblauchzehen
- 2 Esslöffel Zitronensaft
- 3 Eigelb

VORBEREITUNG

1. In einer Küchenmaschine Hülsenfruchtmehl, Butter, Cayennepfeffer und eine Prise Salz geben, bis die Mischung wie feine Semmelbrösel aussieht. Das Eigelb und 2 Esslöffel gekühltes Wasser einrühren, bis die Mischung eine glatte Kugel bildet. Nach dem Einwickeln in Plastikfolie 30 Minuten im Kühlschrank lagern.

2. Den Ofen auf 190 Grad vorheizen. Rollen Sie das Gebäck auf einer leicht bemehlten Oberfläche auf eine Dicke von 3-5 mm aus. Schneiden Sie sechs 12-cm-Kreise aus, um sechs 10-cm-Tortenpfannen mit losem Boden auszukleiden. Tortenschalen mit Backpapier und Gebäckgewichten oder ungekochtem Reis auslegen und Pfannen auf ein großes Backblech stellen. Entfernen Sie das Papier und die Gewichte oder den Reis nach 10 Minuten blindem Backen. Weitere 3 Minuten backen oder bis das Gebäck golden und knusprig ist. Lassen Sie es abkühlen, bevor Sie die Schalen aus den Pfannen nehmen.

3. In der Zwischenzeit die Aioli zubereiten, indem Sie die Öle in einem Krug mischen. Mischen Sie in einer Küchenmaschine Knoblauch, Saft und Eigelb mit einer Prise Salz und

verarbeiten Sie sie dann glatt. Während der Motor läuft, das Öl langsam einrieseln lassen, bis eine dicke Mayonnaise entsteht. Nach Geschmack würzen, abdecken und bis zur Verwendung gekühlt aufbewahren (bis zu 4 Tage).

4.Heizen Sie das zusätzliche Öl in einer Grillpfanne oder einer Bratpfanne mit starkem Boden bei starker Hitze. Lachs auf jeder Seite 1-2 Minuten kochen, bis er gerade gekocht ist, wenn die Pfanne heiß ist. Aus der Gleichung streichen. Jakobsmuscheln sollten auf jeder Seite 30 Sekunden lang oder bis sie nur noch undurchsichtig sind gekocht werden. Brechen Sie den Lachs in Stücke und kombinieren Sie ihn mit den Jakobsmuscheln und Garnelen in einer großen Rührschüssel. Mit Salz und Pfeffer würzen, dann die Meeresfrüchte vorsichtig mit Öl, Zitronensaft und Dill vermengen.

5. Zum Servieren etwas Aioli auf die Tortenschalen verteilen, mit den Meeresfrüchten belegen und mit einem Zweig Dill abschließen. Mit einem Fenchelsalat servieren.

Gegrilltes Meeresfrüchte mit gebratener Gemüse-Sauce

Portionen: 4

ZUTATEN

- 500g Babyflaschenkalmar, gereinigt
- 8 Scampi, halbiert
- 1 kg große Garnelen, Kopf entfernt (Schale und Schwanz intakt gelassen), längs halbiert, entdarmt
- 1/2 Tasse (125 ml) Olivenöl plus 2 EL zum Anrichten der Rucola
- 3 Knoblauchzehen, zerdrückte Handvoll Basilikumblätter
- 1/3 Tasse (80 ml) Zitronensaft
- 100 g wilde Raketenblätter

- 1 EL Sherryessig
- Gebratene Gemüse Sauce
- 2 rote Paprika (insgesamt 500 g)
- 1 Aubergine
- 2 gehackte Knoblauchzehen
- 6 gehackte Sardellenfilets
- 1 EL gesalzene Kapern, gespült
- 1/2 Tasse (125 ml) natives Olivenöl extra

VORBEREITUNG

1.Reserveptententakel nach dem Abschneiden aufbewahren. Öffnen Sie die Röhrchen und ritzen Sie vorsichtig mit einer Hand. Kombinieren Sie alle Tintenfische, Scampi und Garnelen in einer Schüssel. Mit Salz und Pfeffer würzen und die Meeresfrüchte mit Öl, Knoblauch, Basilikum und Zitronensaft vermengen. Wenn Sie die Sauce machen, marinieren Sie das Fleisch im Kühlschrank.

2. Bereiten Sie einen leicht geölten Grill für die Sauce auf mittlere bis hohe Hitze vor. Paprika und Auberginen sollten gekocht werden, bis die Haut verkohlt und das Fruchtfleisch weich ist. Vor dem Abdecken mit Plastikfolie in einer Schüssel abkühlen lassen. Entfernen Sie die Samen von den Paprika und mischen Sie das Fruchtfleisch in einem Mixer (wobei Sie alle Säfte aufbewahren).

3. Die Aubergine halbieren, das Fruchtfleisch herausschöpfen und mit dem Knoblauch, den Sardellen und den Kapern in einem Mixer mischen. Um eine glatte Sauce zu erhalten, mischen Sie sie zu einem Püree und fügen Sie dann Öl hinzu, während der Motor noch arbeitet. (Wenn die Sauce zu dick ist, verdünnen Sie sie mit etwas reserviertem Paprikasaft.)

4. Extra Öl und Essig über die Rucola träufeln, würzen und auf Tellern anrichten. Grillen Sie die Meeresfrüchte, bis sie gerade fertig sind, legen Sie sie dann auf die Rucola-Blätter und servieren Sie sie mit einer Seite Sauce.

MEERESFRÜCHTEIS-SCHÜSSEL

S.

Portionen: 8

ZUTATEN

- 50 Muscheln (optional) zum Dekorieren
- 36 Eiswürfel
- Jeweils 250 g Muscheln und Pipis
- 1 kleine rote Zwiebel, fein gehackt
- 2 Knoblauchzehen, zerkleinert
- 4 Esslöffel gehackter frischer Schnittlauch
- 80 ml (1/3 Tasse) Rotweinessig
- 160 ml (8 Esslöffel) natives Olivenöl extra
- 1 gekochter Hummer
- 2 gekochte blaue Schwimmkrabben
- 20 gekochte Garnelen
- 2 Dutzend Austern, frisch geschält

- ZITRONE MAYONNAISE
- 2 Tassen Mayonnaise von guter Qualität
- 150ml Creme Fraiche
- 1 Zitrone, geschält
- 2 Zitronen, entsaftet

VORBEREITUNG

1. Sie benötigen zwei Plastikschalen, um die Eisschale herzustellen: eine mit einem Fassungsvermögen von 3 Litern und die andere etwas kleiner. Füllen Sie die größere Schüssel zur Hälfte mit Eis und Muscheln. Stellen Sie die kleinere Schüssel auf das Eis und drücken Sie sie nach unten. Verwenden Sie Dosen, um die obere Wanne zu beschweren.

2. In den Gefrierschrank stellen und die untere Schüssel zur Hälfte mit kaltem Wasser füllen. Mindestens 24 Stunden einfrieren.

3.Mischen Sie in einem Bad die Muscheln und Pipis mit 125 ml Wasser und 125 ml Wein. Bedeckt 1-2 Minuten bei starker Hitze kochen lassen. Flüssigkeit und Muscheln oder Pipis, die sich nicht geöffnet haben, sollten entsorgt werden. Lassen Sie Zeit zum Abkühlen.

4.Gießen Sie 300 ml heißes Wasser in die obere Schüssel und legen Sie sie eine Minute lang beiseite, bevor Sie sie abtropfen lassen. Entfernen Sie die äußere Wanne.

5. In einer großen Rührschüssel Zwiebel, Knoblauch, Schnittlauch, Essig und Öl würzen.

6.Um die Zitronenmayonnaise zuzubereiten, verquirlen Sie alle Zutaten in einer Rührschüssel. Nach Geschmack würzen. Werfen Sie große Meeresfrüchte mit Dressing und schneiden

Sie sie in mundgerechte Stücke. Mit Mayonnaise und einem Haufen Fisch in einer Eisschale servieren.

SAFFRONREIS MIT MEERESFRÜCHTEN (ARROZ AZAFRAN MARINERA)

Portionen: 4

ZUTATEN

- 250g mittelgrüne Garnelen
- 1 Lorbeerblatt
- 750 g Muscheln, gereinigt, bärtig
- 250 ml (1 Tasse) spanischer Weißwein
- 1 Teelöffel spanische Safranfäden
- 40 ml (2 Esslöffel) spanisches Olivenöl
- 2 Zwiebeln, fein gehackt
- 2 Knoblauchzehen, zerkleinert
- 1 roter Paprika, entkernt, gehackt
- 300 g Calasparra Reis

- 750 g Tintenfisch, gereinigt, in Ringe geschnitten
- 1 Esslöffel gehackte gemischte Kräuter (wie Thymian, Oregano, Petersilie)

VORBEREITUNG

1. Die Garnelen schälen und die Köpfe in einen Topf geben, um die Brühe zuzubereiten. Legen Sie das Fleisch beiseite. Mit 750 ml Wasser und einem Lorbeerblatt zum Kochen bringen. Auf niedrige Hitze reduzieren und 10 Minuten weitergaren, dann abseihen und die Brühe beiseite stellen. Feststoffe sollten verworfen werden.

2.Mischen Sie in einem Topf die Muscheln und den Wein, decken Sie sie ab und kochen Sie sie bei mittlerer Hitze etwa 15 Minuten lang. Überprüfen Sie sie alle paar Minuten und entfernen Sie die Muscheln beim Öffnen. (Nicht geöffnete Muscheln sollten weggeworfen werden.) Entfernen Sie drei Viertel der Muscheln aus ihren Schalen und werfen Sie die Schalen und die Flüssigkeit weg. (Bewahren Sie den Rest der Muscheln in ihren Schalen auf, um sie als Beilage zu verwenden.)

3. In einer Pfanne mit starkem Boden das Öl bei mittlerer Hitze erhitzen. Den Safran trocken rösten, bis er duftet. Abdecken und beiseite stellen, um den reservierten Vorrat zu ziehen.

4. In einem mittelgroßen Topf das Olivenöl erhitzen. Zwiebel, Knoblauch und Paprika 3-4 Minuten anbraten oder bis die Zwiebel weich ist. Hitze auf ein Minimum reduzieren, abdecken und 20 Minuten mit Reis- und Safranbrühe kochen. Überprüfen Sie den Gargrad und kochen Sie ihn nach Möglichkeit einige Minuten länger, bis der Reis zart ist und

der größte Teil der Flüssigkeit aufgenommen wurde. 5 Minuten kochen lassen oder bis der Tintenfisch, die reservierten Garnelen und die Kräuter gerade fertig sind. Fügen Sie die Muscheln hinzu und servieren Sie sie sofort, garniert mit den Muscheln in den Schalen, die beiseite gelegt wurden.

MEERESFRÜCHTE-EINTOPF

Portionen: 8

ZUTATEN

- 1/4 Tasse (60 ml) Olivenöl
- 1 Zwiebel, dünn geschnitten
- 1 Fenchelknolle, dünn geschnitten
- 2 Karotten, geschält, in dünne Scheiben geschnitten
- 2 Knoblauchzehen, zerkleinert
- 1/2 Teelöffel Safranfäden
- 1 Teelöffel Fenchelsamen
- 1 lange rote Chili, Samen entfernt, fein gehackt
- 1 l (4 Tassen) Fischbrühe
- 800g können Tomaten zerkleinern
- 2 Lorbeerblätter
- 1 Tasse (250 ml) Weißwein

- 1 kg Muscheln, ohne Bart
- 6 kleine Calamari (einschließlich Tentakeln), gereinigt, in Ringe geschnitten
- 16 grüne Garnelen, geschält (Schwänze intakt), entdarmt
- 500 g fester weißer Fisch (wie Kabeljau mit blauen Augen), Haut entfernt, in 2 cm große Stücke geschnitten
- 2 gekochte blaue Schwimmkrabben, gehackt
- Gremolata, um zu dienen

VORBEREITUNG

In einer großen Pfanne 2 Esslöffel Olivenöl erhitzen. Zwiebel, Fenchel und Karotten hineingeben. Bei schwacher Hitze 2-3 Minuten kochen lassen oder bis sie weich sind. Nach dem Hinzufügen von Knoblauch, Safran, Fenchelsamen und Chili noch eine Minute kochen lassen. Lassen Sie die Fischbrühe, die Tomaten und die Lorbeerblätter bei schwacher Hitze 20 Minuten köcheln (dieses Gericht kann auf Wunsch bis zu diesem Zeitpunkt im Voraus zubereitet werden). Legen Sie den Wein kurz vor dem Servieren des Eintopfs in einen Topf, fügen Sie Muscheln hinzu und kochen Sie ihn abgedeckt bei starker Hitze, bis sich die Muscheln öffnen (entsorgen Sie alle nicht geöffneten). Das Kochen von Wein sollte in das Eintopffundament gesiebt werden, aber die Muscheln sollten konserviert werden.

2.Vorbereiten Sie die Pfanne, in der die Muscheln gebraten wurden. Das restliche Öl erhitzen, dann schnell die Calamari hinzufügen und 1-2 Minuten kochen lassen. Auf den Eintopf auftragen.

3.Kochen Sie die Garnelen und fischen Sie in der Pfanne 1-2 Minuten lang auf beiden Seiten oder bis sie fertig sind. Dann die Krabben und Muscheln, die beiseite gelegt wurden, in den Eintopf geben. Bei gelegentlichem Rühren 2-3 Minuten bei schwacher Hitze köcheln lassen.

4. Großzügig mit Salz und schwarzem Pfeffer würzen. In großen Schalen mit Gremolata darüber servieren.

THAI SEAFOOD RISOTTO

Portionen: 4

ZUTATEN

- 3 Esslöffel leichtes Olivenöl
- 1 mittelgroße Zwiebel, fein gehackt
- 2 Knoblauchzehen, zerkleinert
- 2 Esslöffel thailändische rote Curry-Paste
- 300 g Arborio-Reis
- 300 ml Fisch- oder Gemüsebrühe
- 300 ml Kokosmilch
- 4 frische Kaffirlimettenblätter, fein zerkleinert
- 1 Zitronengrasstiel, fein gehackt
- 1 (ca. 200 g) mittlerer Tintenfisch, gereinigt, in Ringe geschnitten
- 200 g grüne Garnelen, geschält, mit Schwänzen

- 150g gereinigte Jakobsmuscheln
- 1 Esslöffel gewürztes Mehl

VORBEREITUNG

1. Den Backofen auf 180 Grad vorheizen.

2. In einer Pfanne 1 Esslöffel Öl erhitzen und die Zwiebel hinzufügen. 1 Minute bei mittlerer Hitze oder bis zum Erweichen kochen. Kombinieren Sie den Knoblauch und die Curry-Paste in einer Rührschüssel. Um die Aromen freizusetzen, 1 Minute kochen lassen. 1-2 Minuten unter ständigem Rühren kochen lassen. Brühe, Kokosmilch und die Hälfte der Limettenblätter in einer Rührschüssel vermischen. Salz und Pfeffer nach Geschmack. Bei hoher Flamme zum Kochen bringen. Nehmen Sie die Pfanne vom Herd und stellen Sie sie beiseite.

3.Gießen Sie die Mischung in eine gefettete, ofenfeste Schüssel, gießen Sie sie vorsichtig mit Aluminiumfolie ab und backen Sie sie 15 Minuten lang. Aus dem Ofen nehmen und gut umrühren. Fügen Sie 1/2 Tasse Wasser oder Brühe hinzu, wenn die Mischung zu trocken ist. Abdecken und weitere 10 Minuten backen. Die Hälfte der Meeresfrüchte einrühren, abdecken und weitere 10 Minuten backen oder bis die Meeresfrüchte vollständig gekocht sind.

4. In der Zwischenzeit die restlichen Meeresfrüchte in das gewürzte Mehl geben.

5. In einer sauberen Pfanne das restliche Öl erhitzen, dann die Meeresfrüchte hinzufügen und bei starker Hitze knusprig kochen.

6. Achten Sie darauf, das Risotto gut umzurühren. Mit den restlichen Limettenblättern und gebratenen Meeresfrüchten garnieren.

SEAFOOD CURRY

Portionen: 4

ZUTATEN

- 2 Esslöffel Pflanzenöl
- 1 Zwiebel, dünn geschnitten
- 1 Knoblauchzehe, zerkleinert
- 2cm Stück Ingwer, gerieben
- 2 Esslöffel milde Curry-Paste
- 1 Esslöffel Tomatenmark
- 500 g weiße Fischfilets (wie Blue Eye oder Barsch), entbeint, in 2 cm große Stücke geschnitten
- 300g grüne Garnelen, geschält, Schwänze intakt
- 2 x 270 ml Dosen Kokosmilch
- 1/4 Tasse (60 ml) Fischbrühe oder Hühnerbrühe
- 1 Teelöffel Palmen- oder Puderzucker

- 2 Esslöffel Limettensaft
- 2 Esslöffel gehackte Korianderblätter sowie ganze Blätter zum Garnieren
- Gedämpfter brauner mittelkörniger Reis zum Servieren
- Limettenschnitze zum Servieren

VORBEREITUNG

1. In einer Bratpfanne mit starkem Boden das Öl bei mittlerer Hitze erhitzen. Unter ständigem Rühren kochen, bis die Zwiebel weich ist. Nach dem Hinzufügen von Knoblauch und Ingwer einige Sekunden kochen lassen.

2. Fügen Sie die Curry-Paste und das Tomatenpüree hinzu und kochen Sie sie 1 Minute lang unter ständigem Rühren, bis sie duftet.

3. Die Meeresfrüchte in die Pfanne geben und gut abdecken. Nach Zugabe von Kokosmilch, Brühe und Zucker mit Salz und Pfeffer würzen. Zum Kochen bringen, dann auf niedrige Hitze reduzieren und weitere 10 Minuten kochen lassen oder bis die Meeresfrüchte vollständig gekocht sind. Den Limettensaft und den gehackten Koriander in einer Rührschüssel vermischen. Mit Korianderblättern und einem Limettenschnitz garnieren und mit gedämpftem Reis servieren.

MEERESFRÜCHTE IN CHARDONNAY-GELEE

Portionen: 4

ZUTATEN

- 3 Gelatineblätter *
- 200 ml Chardonnay
- 1 1/2 Esslöffel Fischsauce
- 200g gekochte kleine Schulgarnelen, geschält, Schwänze intakt
- 120 g gekochtes blaues Schwimmerkrabbenfleisch
- 100 g Räucherlachs, in dünne Streifen geschnitten
- Saft von 1/2 Zitrone
- 1 Esslöffel gehackter Dill
- Melba Toast, um zu dienen

VORBEREITUNG

1. 4 große Martini-Gläser (oder ähnliches) kalt stellen.

2. Oft Gelatineblätter durch Einweichen in kaltes Wasser (ca. 5 Minuten).

3. Reduzieren Sie den Wein in einer Pfanne bei starker Hitze um die Hälfte. Die Gelatine auspressen und in die Pfanne geben. Rühren, bis sich der Zucker vollständig aufgelöst hat. In einen Messbecher mit der Fischsauce und genügend kaltem Wasser geben, um 600 ml Flüssigkeit herzustellen.

4. Werfen Sie die Meeresfrüchte mit der Zitrone und Dill in eine Schüssel. Die Gewürze dazugeben und verquirlen.

5. In jede Flasche eine kleine Menge Meeresfrüchte schichten, mit einer kleinen Weinmischung bedecken und 15 Minuten kalt stellen. Wiederholen, bis die Gläser voll sind und fest sind. Melba Toast sind eine perfekte Begleitung.

FRITTO MISTO (GEBRATENE MEERESFRÜCHTE UND GEMÜSE)

Portionen: 6

ZUTATEN

- 250 g Tintenfischröhrchen, in Ringe geschnitten
- 12 grüne Garnelen, geschält, entdarmt, Schwänze intakt
- 400 g fester weißer Fisch, in 2 cm große Stücke geschnitten
- 100 g Whitebait
- 2 (ca. 200 g) Zucchini, in dünne Scheiben geschnitten
- 1 Bund dünner Spargel, Enden geschnitten
- 12 Salbeiblätter
- 1 Tasse (150 g) selbstaufziehendes Mehl
- 1 Esslöffel Maismehl

- 1/2 Teelöffel Soda-Bicarbonat
- Sonnenblumenöl zum Frittieren
- Zitronenschnitze zum Servieren

VORBEREITUNG

1.Um überschüssige Feuchtigkeit zu entfernen, legen Sie Fisch, Gemüse und Salbei auf ein Papiertuch. Um einen glatten Teig zu erhalten, sieben Sie selbstaufziehendes Mehl und Maismehl in eine Rührschüssel, fügen Sie Soda-Bicarbonat hinzu, würzen Sie es mit Salz und Pfeffer und verquirlen Sie langsam 350 ml gekühltes Wasser.

2.Heizen Sie eine Fritteuse oder einen großen Topf auf 190 ° C und füllen Sie sie zur Hälfte mit Öl. (Öl ist fertig, wenn ein Brotwürfel in 30 Sekunden golden wird.) Tauchen Sie das Gemüse, die Gewürze und die Meeresfrüchte in Chargen in den Teig und braten Sie sie goldbraun an. Verschieben Sie die Stücke, um Verklumpungen zu vermeiden. Aus dem Ofen nehmen, auf Papiertüchern abtropfen lassen und warm bleiben, bis alles fertig ist. Mit Zitronenschnitzen und einer Prise Meersalz servieren.

GEMISCHTER MEERESFRÜCHTGRILL MIT TOMATENVINAIGRETTE

Portionen: 4

ZUTATEN

- 8 grüne Garnelen
- 8 gefrorene Scampi *, aufgetaut
- 500g Stück Thunfischsteak
- Leichtes Olivenöl zum Überziehen
- 1/4 Tasse flache Petersilienblätter
- 1 Zitrone, geviertelt, zum Servieren
- DRESSING
- 1 Tomate, fein gehackt
- 1 Knoblauchzehe, zerkleinert

- 1 Esslöffel Zitronensaft
- 1/4 Tasse (60 ml) Olivenöl

VORBEREITUNG

1. Um das Dressing zuzubereiten, Tomaten, Knoblauch, Zitronensaft und Olivenöl glatt rühren, dann mit Meersalz und frisch gemahlenem schwarzen Pfeffer abschmecken.

2.Deveinieren Sie die Garnelen, indem Sie die Köpfe entfernen und den Rücken mit Butter bestreichen.

3.Schneiden Sie die Scampi der Länge nach in zwei Hälften, entfernen Sie die Vene und spülen Sie sie zum Reinigen unter kaltem Wasser ab. Machen Sie vier kleine Steaks aus dem Thunfisch. Alles mit Olivenöl bestreichen und mit Salz und Pfeffer würzen.

4. Bereiten Sie einen Grill oder Grill vor, der bei mittlerer bis hoher Hitze leicht geölt wurde. Wenn der Grill heiß ist, legen Sie die Garnelen und Scampi mit der Schnittseite nach unten auf den Grill (ggf. in Chargen). Auf einer Seite 1-2 Minuten kochen, bis sie gut gefärbt sind, dann umdrehen und auf der anderen Seite 30-60 Sekunden kochen lassen oder bis sie gerade durchgegart sind. Kochen Sie den Thunfisch 1-2 Minuten lang auf einer Seite und drehen Sie ihn zur Hälfte, um kreuz und quer verlaufende Grillspuren zu erhalten. Auf der anderen Seite eine weitere Minute kochen lassen.

5. Ordnen Sie alle Meeresfrüchte entspannt auf einer großen Servierplatte an. Das Dressing darauf verteilen und mit Petersilie garnieren.

6. Mit Zitronenschnitzen an der Seite servieren. s.

BARBECUED SEAFOOD SKEWERS MIT ROMESCO SAUCE

Portionen: 12

ZUTATEN

- 12 Jakobsmuscheln ohne Rogen
- 8 Frühlingszwiebeln, jeweils in 4 Längen geschnitten
- 12 grüne Garnelen, geschält (Schwänze intakt), entdarmt
- 6 Spargelstangen, holzige Enden geschnitten, jeweils in 4 Längen geschnitten, leicht blanchiert
- Olivenöl zum Bürsten
- Kleine Zitronenschnitze zum Servieren
- ROMESCO SAUCE
- 1/3 Tasse (80 ml) fruchtiges oder säurearmes Olivenöl extra vergine
- 10 Haselnüsse

- 10 blanchierte Mandeln
- 1 Scheibe Weißbrot, Krusten entfernt
- 5 Piquillo Pimientos (ca. 100 g)
- 1/4 Teelöffel geräucherter Paprika
- Kleine Prise Cayennepfeffer
- 4 Knoblauchzehen
- 2 Teelöffel Sherryessig
- 1 reife Tomate, geschält, Samen entfernt, grob gehackt

VORBEREITUNG

1. Um ein Anbrennen zu vermeiden, legen Sie 12 Holzspieße (oder geschnittene Lorbeerzweige für ein rustikales Aussehen) 2 Stunden lang in kaltes Wasser.

2. In einem kleinen Topf bei mittlerer Hitze 2 Esslöffel Öl für die Romesco-Sauce erhitzen. Unter ständigem Rühren 5 Minuten kochen lassen oder bis sie goldbraun sind. Entfernen Sie die Nüsse und legen Sie sie zum Abtropfen auf ein zerknittertes Papiertuch. Braten Sie das Brot in der Pfanne für 2 Minuten auf beiden Seiten oder bis es goldbraun ist. Vor dem Mischen mit Nüssen, Pimientos, Paprika, Cayennepfeffer, Knoblauch, Essig, Tomate und restlichem Öl in einer Küchenmaschine etwas abkühlen lassen, um eine Paste zu erhalten. Nach Geschmack würzen.

3. Extrahieren Sie alle Nerven, Membranen oder harten weißen Muskeln aus Jakobsmuscheln, indem Sie sie in Scheiben schneiden oder herausziehen. Gründlich ausspülen und mit einem Papiertuch abspülen. Fädeln Sie am Spieß zwei Zwiebelstücke ein. Fädeln Sie eine Garnele auf einen Spieß, indem Sie die Enden zusammenrollen. Fädeln Sie zwei Spargelstücke und dann eine Jakobsmuschel auf den Faden.

Um 12 Spieße zu machen, wiederholen Sie dies mit den restlichen Zwiebeln, Garnelen, Spargel und Jakobsmuscheln.

CRUMBED FISH BITES

Portionen: 24

ZUTATEN

- 500 g Fischfilets (Lachs oder Leng)
- 1 Tasse Kartoffelpüree, gekühlt
- 4 Frühlingszwiebeln, gehackt
- 2 EL gehackte flache Petersilie
- 1 EL heißer englischer Senf
- 1 Eigelb
- ⅓ Tasse Mehl
- 1 Ei, verquirlt
- 1 Tasse Panko Paniermehl
- Pflanzenöl zum Braten
- Ganze Ei Mayonnaise und extra Petersilie zum Servieren

VORBEREITUNG

1. In einer Küchenmaschine den Fisch pürieren, bis eine Paste entsteht. Kombinieren Sie Kartoffel, Zwiebel, Petersilie, Senf und Eigelb in einer Rührschüssel. Mit Salz und Pfeffer abschmecken.

2.Machen Sie Kugeln aus Esslöffeln der Fischmischung. Beschichten Sie jeden Fischball mit Mehl, Ei und Semmelbröseln. Auf ein Serviertablett legen.

3. In einem Topf das Öl bei mittlerer bis hoher Hitze erhitzen. Lassen Sie die Kugeln vorsichtig in Chargen in das Öl fallen und kochen Sie sie 1-2 Minuten lang oder bis sie goldbraun sind. Mit Mayonnaise und Petersilie darüber servieren.

JAMIE OLIVER'S FISH UND CHEAT'S CHIPS MIT TARRAGON MUSHY PEAS

Portionen: 4

ZUTATEN

- 1/3 Tasse (50 g) Mehl
- 2 Eier, leicht geschlagen
- 3 Tassen (210 g) frische Semmelbrösel
- 1 TL getrocknete Chiliflocken
- 4 hautlose Flunderfilets (Bestellung bei Ihrem Fischhändler), in 4 cm breite Streifen schneiden
- Sonnenblumenöl, zum flachen Braten von Kresse oder Mikrokräutern, zum Servieren

CHEAT'S CHIPS

- 1 kg Sebago-Kartoffeln, geschrubbt (ungeschält), in 1 cm dicke Pommes geschnitten
- 3 Rosmarinzweige, Blätter gepflückt
- 1/4 Tasse (60 ml) Olivenöl
- 2 Knoblauchzehen, dünn geschnitten
- ERBSENPÜREE
- 25 g ungesalzene Butter
- 400 g frische Erbsen (oder gefroren, aufgetaut)
- 1 kleiner Bund Estragon, Blätter fein gehackt
- Saft von 1/2 Zitrone plus Zitronenschnitze zum Servieren

VORBEREITUNG

1. Den Backofen auf 200 Grad vorheizen. Die Kartoffeln 3-4 Minuten in einem Topf mit kochendem Salzwasser für die Pommes frites vorkochen. Nach dem Abtropfen zum Abkühlen und Trocknen beiseite stellen.

2. Werfen Sie die Pommes mit Rosmarin, Öl und einer Prise Salz auf ein Backblech. Nehmen Sie das Tablett nach 20 Minuten im Ofen aus dem Ofen und rühren Sie den Knoblauch ein. Weitere 15-20 Minuten backen oder bis sie goldgelb und knusprig sind.

3. In der Zwischenzeit Butter in einer Pfanne bei mittlerer Hitze für Erbsenbrei schmelzen. Bedeckt 10 Minuten kochen lassen (3 Minuten für gefroren) oder bis sie weich sind, wobei je nach Wunsch frische Erbsen und Estragon hinzugefügt werden. Mit Zitronensaft würzen. Maische, bis die Mischung matschig ist. Zum Warmhalten abdecken.

4. Reis, Ei und Semmelbrösel in drei Schalen teilen. Die Krümel mit Salz und Pfeffer sowie den Chiliflocken würzen. Der Fisch

sollte zuerst bemehlt, dann in Ei getaucht, überschüssiges Material abgeschüttelt und dann mit Paniermehl überzogen werden. Mit Salz und Pfeffer würzen, beiseite stellen und mit dem restlichen Fisch wiederholen.

CRISPY CRUMBED FISH MIT GEBRATENEN KAROTTEN UND ORANGE UND OLIVENSALAT

Portionen: 4

ZUTATEN

- 3 große Karotten, in große Schlagstöcke geschnitten
- 1 TL Paprika
- Prise Cayennepfeffer
- 1/4 Tasse (60 ml) natives Olivenöl extra
- 3/4 Tasse (75 g) getrocknete Semmelbrösel
- 4 x 150 g dicke, hautlose weiße Fischfilets (z. B. blaue Augen)
- 50 g ungesalzene Butter, geschmolzen
- 1/2 Bund Brunnenkresse, Zweige gepflückt
- 1 Orange, geschält, Mark entfernt, segmentiert

- 1/2 rote Zwiebel, dünn geschnitten
- 1/2 Tasse (60 g) entkernte schwarze Oliven, halbiert
- 1 EL Weißweinessig
- 1/2 Tasse (150 g) Vollei-Mayonnaise
- 1 EL Harissa

VORBEREITUNG

1. Den Ofen auf 220 Grad vorheizen und zwei Backbleche mit Pergamentpapier auslegen.

2. Karotten mit Gewürzen und 1 Esslöffel Öl würzen. Auf einem Backblech verteilen und 15 bis 20 Minuten backen oder bis sie weich sind.

3. In der Zwischenzeit die Semmelbrösel würzen und auf einem Tablett verteilen. Den Fisch mit Butter bestreichen und in die Krümel rollen. Legen Sie den Fisch auf das zweite Tablett. Weitere 15 Minuten backen oder bis der Fisch knusprig und durchgegart ist und die Karotten goldbraun sind.

4. In einer Rührschüssel Kresse, Orange, Zwiebel und Oliven vermischen. Mit Salz und Pfeffer würzen, dann den Essig und die restlichen 2 Esslöffel Öl über den Salat gießen und mischen.

BRAISED FISH MIT CHORIZO, CAPSICUM UND KARTOFFELN

Portionen: 4

ZUTATEN

- 2 EL Olivenöl
- 1 Chorizo, Haut entfernt, fein gehackt
- 2 gehackte Zwiebeln
- 1 roter Paprika, grob gehackt
- 1 grüner Paprika, grob gehackt
- 1 TL geräucherter Paprika (Pimenton) *
- 6 Sardellen in Öl, grob gehackt
- 500 g Wachskartoffeln, geschält, in 2 cm große Stücke geschnitten
- 400 ml trockener Weißwein
- 4 x 150 g dicke weiße Fischfilets (wie Leng)

- Gehackte Petersilie zum Servieren

VORBEREITUNG

1. In einer tiefen beschichteten Pfanne das Öl bei mittlerer Hitze erhitzen. Unter gelegentlichem Rühren kochen, bis Chorizo, Zwiebel, Paprika, Paprika und Sardellen durchscheinend sind und die Chorizo 3-4 Minuten braun wird.

2.Die Kartoffel in die Pfanne geben, teilweise mit dem Deckel abdecken und 25 Minuten kochen lassen oder bis die Kartoffeln fast zart und das Gemüse weich sind.

3. Den Wein in die Pfanne geben, zum Kochen bringen, dann auf mittlere bis niedrige Hitze reduzieren und 2-3 Minuten oder bis zur leichten Reduzierung weitergaren. Fügen Sie den Fisch hinzu, decken Sie ihn ab und kochen Sie ihn 6-8 Minuten lang oder bis der Fisch gerade fertig ist. Sofort mit Petersilie garnieren oder vor dem Servieren auf eine Servierplatte umstellen.

Gebackener Fisch mit Kapern, Kartoffeln und Zitronen

Portionen: 4

ZUTATEN

- 8 kleine Chat-Kartoffeln, Haut auf, sehr dünn geschnitten (ein Mandolinen- oder Gemüseschäler ist ideal)
- 1/4 Tasse (60 ml) natives Olivenöl extra
- 4 x 200 g hautlose feste Weißfischfilets (wie Schnapper)
- 1/2 Zitrone, in dünne Scheiben geschnitten
- 1 EL Baby gesalzene Kapern, gespült, abgetropft
- Handvoll weiche Kräuter (wie Koriander, Petersilie, Dill, Estragon, Kerbel oder Fenchel), gehackt

VORBEREITUNG

1. Den Backofen auf 200 ° C und ein Backblech auf 180 ° C vorheizen. Legen Sie vier große Blätter Backpapier und vier große Blätter Folie aus.

2. Teilen Sie die Kartoffel zwischen den Blättern und fügen Sie zwei Schichten in die Mitte jedes Blattes ein. Mit der Hälfte des Olivenöls beträufeln und mit Salz und Pfeffer würzen. Top mit einem Fischfilet und einer Zitronenscheibe, dann Kapern, Kräutermischungen und Meersalz. Die restlichen 112 EL Olivenöl über alles träufeln. Decken Sie den Fisch in Plastikfolie ab, stecken Sie die Enden unter, um ein Paket zu bilden, und schützen Sie ihn mit Folie. Auf dem vorgeheizten Backblech 20-30 Minuten backen, bis die Kartoffel weich ist.

Geräucherte OCEAN TROUT mit Bananenblüte und süßer Fischsauce

Portionen: 4

ZUTATEN

- 1/3 Tasse Kokosöl
- 2 x 200 g Filets heißgeräucherte Meerforelle
- 4 Bananenblütenblätter, dünn geschnitten
- 1/2 Tasse thailändische Basilikumblätter
- 1/2 Tasse Korianderblätter
- 2 EL dünn geschnittener Knoblauch, gebraten, gekühlt
- 1 EL gebratene asiatische Schalotten
- 1 rote Chili, Samen entfernt, zerkleinert
- 2 getrocknete lange rote Chilischoten, zerbröckelt
- 2 Kaffirlimettenblätter, fein zerkleinert

- Limettenschnitze zum Servieren
- SWEET FISH SAUCE
- 250 g Palmzucker, gerieben
- 1/2 rote Zwiebel, in Scheiben geschnitten
- 1 Zitronengrasstiel, gequetscht
- 4 Kaffernlimettenblätter
- 3 cm großes Stück Galangal oder Ingwer, in Scheiben geschnitten
- 4 Korianderwurzeln, geschnitten
- Jeweils 2 EL Fischsauce und Tamarindenpaste

VORBEREITUNG

1. Den Zucker und 2 EL Wasser in einem Topf bei mittlerer Hitze unter ständigem Rühren erhitzen, bis sich der Zucker aufgelöst hat. Mit Zwiebel, Zitronengras, Kaffirlimettenblättern, Galangal und Koriander zum Kochen bringen.

2.Reduzieren Sie auf mittlere bis niedrige Hitze und kochen Sie 5-6 Minuten lang oder bis sie leicht karamellisiert sind. Kombinieren Sie die Fischsauce und Tamarinde in einer Rührschüssel. Von der Sonne nehmen, abseihen und zum Abkühlen beiseite stellen.

3. In einer Pfanne mit mittlerer bis hoher Hitze das Öl erhitzen und die Forelle auf jeder Seite 1-2 Minuten braten oder bis sie sich erwärmt hat. Entfernen Sie das Fleisch, spülen Sie es auf einem Papiertuch ab und schneiden Sie es in große Stücke.

4. Die Forelle und die restlichen Zutaten auf Tellern zusammenstellen und mit der Sauce beträufeln.

SCHWERTFISCH INVOLTINI MIT KAPPEN, TOMATEN UND OLIVEN

Portionen: 4

ZUTATEN

- 1 dicke Scheibe Brot wie Sauerteig oder Ciabatta, Kruste entfernt, zerrissen
- 1 EL Majoranblätter
- 2 x 180 g Schwertfischfilets, Haut entfernt
- 1 EL natives Olivenöl extra plus extra zum Nieseln
- 1 kleine Knoblauchzehe, in dünne Scheiben geschnitten
- Kleine Prise getrocknete Chiliflocken
- 1 1/2 EL Pinienkerne (optional)
- 250 g reife Kirschtomaten, halbiert
- 1 EL gesalzene Kapern, gespült
- 1/3 Tasse (55 g) Kalamata-Oliven, entkernt
- 100 ml trockener Weißwein (wie Pinot Grigio)

- Jeweils eine kleine Handvoll Petersilie und Fenchelwedel (optional), gehackt

VORBEREITUNG

1. Den Zucker und 2 EL Wasser in einem Topf bei mittlerer Hitze unter ständigem Rühren erhitzen, bis sich der Zucker aufgelöst hat. Mit Zwiebel, Zitronengras, Kaffirlimettenblättern, Galangal und Koriander zum Kochen bringen.

2.Reduzieren Sie auf mittlere bis niedrige Hitze und kochen Sie 5-6 Minuten lang oder bis sie leicht karamellisiert sind. Kombinieren Sie die Fischsauce und Tamarinde in einer Rührschüssel. Von der Sonne nehmen, abseihen und zum Abkühlen beiseite stellen.

3. In einer Pfanne mit mittlerer bis hoher Hitze das Öl erhitzen und die Forelle auf jeder Seite 1-2 Minuten braten oder bis sie sich erwärmt hat. Entfernen Sie das Fleisch, spülen Sie es auf einem Papiertuch ab und schneiden Sie es in große Stücke.

4. Die Forelle und die restlichen Zutaten auf Tellern zusammenstellen und mit der Sauce beträufeln.

SEARED BEEF MIT CARAMEL FISH SAUCE UND LIME SLAW

Portionen: 4

ZUTATEN

- 250 g Palmzucker, gerieben
- 1/4 Tasse (60 ml) Fischsauce bester Qualität
- 1/4 Tasse (60 ml) Limettensaft
- 1 kg erstklassiges grasgefüttertes Rinderfilet
- 6 lange rote Chilischoten, Samen entfernt, in dünne Scheiben geschnitten
- RAW SLAW
- 2 Tassen je dünn geschnitten weiß
- Kohl und Eisbergsalat (eine Mandoline ist ideal)
- Saft von 3 prallen Limetten

VORBEREITUNG

1. Den Zucker und 1 Tasse (250 ml) Wasser bei mittlerer Hitze in einen Topf geben und rühren, bis sich der Zucker aufgelöst hat. Zum Kochen bringen und 12-15 Minuten köcheln lassen, bis die Mischung eingedickt ist und eine leichte Karamellfarbe annimmt. Vom Herd nehmen, dann die Fischsauce und den Limettensaft hinzufügen und vorsichtig schwenken, um sie zu kombinieren. Legen Sie die Fischsauce Karamell beiseite.

2. Die Grillplatte auf volle Hitze vorheizen.

3. Für den rohen Krautsalat Kohl und Salat in einer großen Schüssel vermengen, mit Salz und Pfeffer würzen und dann großzügig mit dem Limettensaft anrichten. Beiseite legen.

4. Verwenden Sie Ihre Hände, um 1 TL Meersalz über das gesamte Rindfleisch zu reiben. Jede Seite 1-2 Minuten anbraten, bis sie ganz braun ist (das Fleisch immer an einer Stelle auf dem Grill auftragen, an der die Wärme nicht durch Kochen abgeführt wurde). Vom Herd nehmen, 5 Minuten ruhen lassen, dann in Scheiben schneiden - es wird in der Mitte sehr selten sein.

5. Den Krautsalat auf eine Servierplatte legen und mit dem in Scheiben geschnittenen Rindfleisch belegen. Mit Chili garnieren, dann mit Karamell beträufelt servieren.

KINGFISH CARPACCIO MIT GRÜNER CHILLI-PASTE

Portionen: 4

ZUTATEN

- 600 g Kingfish in Sashimi-Qualität *
- 4 lange grüne Chilischoten, Samen entfernt, fein gehackt
- 1/2 Tasse Korianderblätter
- Saft von 4 Limetten
- 1/3 Tasse (80 ml) Olivenöl
- 1/3 Tasse (80 ml) japanische Sojasauce
- Mikrokräuter oder Babysalatblätter zum Servieren

VORBEREITUNG

1. Die 5 mm dicken Fischscheiben bis zum Verzehr kalt stellen.

2. Chili und Koriander pulsieren lassen, bis sich in der Schüssel einer kleinen Küchenmaschine eine Paste entwickelt. Mischen Sie den Limettensaft und gerade genug Öl ein, um ihn klebrig zu machen (Sie möchten eine lose, glatte Paste erhalten).

3. Den Fisch auf eine Servierplatte legen und mit Sojasauce beträufeln. Nach dem Bestreuen des Fisches mit Chilipaste mit Mikrokräutern garnieren.

CHERMOULA KINGFISH MIT MAROKKANISCHEN BOHNEN

Portionen: 4

ZUTATEN

- 4 x 180 g hautlose Kingfish-Filets
- 2 Esslöffel Olivenöl
- 1 Zwiebel, fein gehackt
- 2 Knoblauchzehen, zerkleinert
- 720g Dosen Bohnen mischen, gespült, abtropfen lassen
- 1/4 Tasse geschnittener gerösteter Paprika
- 1/2 Tasse (125 ml) Hühnerbrühe
- 1/2 Tasse Korianderblätter
- CHERMOULA
- 2 Teelöffel süßer Paprika

- 1 Teelöffel fein geriebener Ingwer
- 1 Teelöffel getrocknete Chiliflocken
- 1 Teelöffel gemahlener Kreuzkümmel
- 1 Teelöffel gemahlener Koriander
- 1 Teelöffel gemahlener weißer Pfeffer
- 1/2 Teelöffel gemahlener Kardamom
- 1/2 Teelöffel gemahlener Zimt
- 1/2 Teelöffel alle Gewürze gemahlen
- 2 Esslöffel Zitronensaft
- 1/4 Tasse (60 ml) Olivenöl

VORBEREITUNG

1. Kombinieren Sie in einer großen Rührschüssel alle Zutaten für die Chermoula.

2. Werfen Sie den Kingfish in die Chermoula, um ihn gleichmäßig zu beschichten. Organisieren

3. In einem breiten Topf 1 Esslöffel Öl erhitzen und die Zwiebel hinzufügen. 2-3 Minuten kochen lassen, dabei gelegentlich umrühren, bis es weich ist, dann den Knoblauch hinzufügen und weitere 2 Minuten kochen lassen oder bis es duftet. Nehmen Sie die Pfanne von der Sonne.

4. In einer Küchenmaschine 1/2 Tasse gemischte Bohnen glatt rühren. Kombinieren Sie das Bohnenpüree, Paprika, Hühnerbrühe und die restlichen Bohnen in einem Topf. Weitere 2-3 Minuten kochen lassen oder bis es gründlich erwärmt ist. Halte dich nass.

5. In einer mittelgroßen Pfanne den restlichen 1 Esslöffel Öl erhitzen. Kochen Sie die Kingfish-Filets an jeder Hand 2-3 Minuten lang oder bis sie gerade fertig sind.

6. Mit Koriander garnieren und den Königsfisch mit der marokkanischen Bohnenmischung füttern.

CHINESISCHER DAMPFFISCH MIT GINGER

Portionen: 4

ZUTATEN

- 4 x 200 g hautlose Filets mit blauen Augen
- 5 cm Stück Ingwer, in dünne Scheiben geschnitten
- 100ml Hühnerbrühe
- 1/4 Tasse (60 ml) chinesischer Reiswein (Shaohsing)
- 4 Baby Bok Choy, geviertelt
- 2 Esslöffel leichte Sojasauce
- 1 Teelöffel Puderzucker
- 1/2 Teelöffel Sesamöl
- 2 Esslöffel Erdnussöl
- 4 Frühlingszwiebeln, dünn geschnitten

- Koriander und gedämpfter Reis zum Servieren

VORBEREITUNG

1. Legen Sie den Fisch in einen Bambusdampfer auf ein Tablett. Nach dem Streuen des Ingwers die Brühe und den Reiswein einfüllen. Decken Sie es ab und dämpfen Sie es 5 Minuten lang über einer Pfanne mit siedendem Wasser. Fügen Sie dann Bok Choy hinzu, decken Sie es ab und dämpfen Sie es weitere 2 Minuten lang oder bis der Fisch gekocht ist.

2. In der Zwischenzeit Soja, Zucker, Sesam und Erdnussöl in einer Pfanne bei mittlerer Hitze 2 Minuten lang erwärmen.

3. Werfen Sie den Fisch und Bok Choy mit dem Dressing, Koriander und Reis.

RAUCHFISCH UND PRAWN PIE

S.

Portionen: 4

ZUTATEN

- 750 g geräucherte Kabeljaufilets
- 2 1/2 Tassen (625 ml) Milch
- 1 kleine Zwiebel, grob gehackt
- 1 Lorbeerblatt
- 1/4 Tasse gehackte Estragonblätter
- 75 g ungesalzene Butter, gehackt
- 1/3 Tasse (50 g) Mehl
- 1 kg Kartoffeln, in 4 cm große Stücke geschnitten
- 100 g geräucherter Cheddar, gerieben
- 350g grünes Garnelenfleisch

VORBEREITUNG

1 Den Ofen auf 200 Grad vorheizen. In einer tiefen Pfanne bei mittlerer Hitze Fisch, Milch, Zwiebel, Lorbeerblatt und 1 Esslöffel Estragon mischen. Mit Salz und Pfeffer würzen und zum Kochen bringen, dann auf niedrige Hitze reduzieren und 5 Minuten köcheln lassen oder bis die Aromen aufgegossen sind. Nehmen Sie den Fisch aus der Pfanne und legen Sie ihn beiseite. Füllen Sie einen Krug zur Hälfte mit Milch und geben Sie ihn ab.

2. In einem Topf bei mittlerer Hitze 50 g Butter schmelzen. Unter ständigem Rühren 2-3 Minuten kochen lassen oder bis sie hellgolden sind. Die Milch cremig rühren, dann 2 Minuten unter ständigem Rühren kochen, bis sie leicht eingedickt ist. Mit den restlichen 2 Teelöffeln Estragon würzen.

3. In der Zwischenzeit einen Topf mit Salzwasser zum Kochen bringen und die Kartoffel 15 Minuten lang oder bis sie weich ist kochen. Lassen Sie die Kartoffel abtropfen, legen Sie sie wieder in die Pfanne und kochen Sie sie 30 Sekunden lang, um die verbleibende Flüssigkeit zu entfernen. Mit Salz und Pfeffer würzen, nachdem die Kartoffel mit 75 g Käse und den restlichen 25 g Butter zerdrückt wurde.

4.Flocken Sie den Fisch, werfen Sie das Fleisch weg und kombinieren Sie ihn mit den Garnelen und der Sauce in einer ofenfesten 2-l-Schüssel (8 Tassen). Verteilen Sie die Kartoffelpüree darauf und achten Sie darauf, dass sie die Füllung vollständig bedeckt. Die restlichen 25 g Käse darüber streuen und 30-35 Minuten backen oder bis sie goldbraun und sprudelnd sind.

5. Vor dem Servieren 5 Minuten abkühlen lassen.

GELADENER SCHWERTFISCH MIT TRAUBEN-, MANDEL- UND GERSTENSALAT

Portionen: 4

ZUTATEN

- 1 1/4 Tassen (280 g) Perlgerste, gespült
- Fein geriebene Schale und Saft von 1/2 Zitrone
- 2 TL getrocknete italienische Kräuter
- 100 ml Olivenöl
- 4 x 220 g Schwertfischfilets
- 1 1/2 EL Rotweinessig
- 225 g rote kernlose Trauben, halbiert
- 1/2 Tasse (80 g) geröstete Mandeln, gehackt
- 1/3 Tasse (60 g) Johannisbeeren, 10 Minuten in warmem Wasser eingeweicht, abtropfen lassen

- 1 Bund flache Petersilie, Blätter gepflückt
- 2 Selleriestangen, gehackt

VORBEREITUNG

1. In einem Topf mit kochendem Salzwasser die Gerste 25 bis 30 Minuten lang oder bis sie weich ist kochen. Lassen Sie das Wasser ab und legen Sie es zum Abkühlen beiseite.

2.Mischen Sie in einer separaten Tasse Zitronenschale, 1 Teelöffel italienische Kräuter und 2 Esslöffel Öl. Mit Salz und Pfeffer würzen, dann den Schwertfisch hinzufügen und zudecken. Zum Marinieren 15 Minuten ruhen lassen.

3.Um das Dressing zuzubereiten, kombinieren Sie Essig, Zitronensaft und das restliche 1/4 Tasse (60 ml) Öl in einer Rührschüssel, würzen Sie es mit Salz und Pfeffer und legen Sie es beiseite.

4. Eine Grillpfanne oder einen Grill bei starker Hitze vorheizen. Schwertfisch sollte auf jeder Seite 3 Minuten lang oder bis zum Ende gekocht werden. 5 Minuten ruhen lassen, locker mit Folie bedeckt.

5.Kombinieren Sie die Gerste, Trauben, Mandeln, Johannisbeeren, Petersilie, Sellerie und die restlichen 1 Esslöffel italienischen Kräuter in einer Rührschüssel. Das Dressing über den Salat träufeln und mischen.

6.Servieren Sie den Salat mit Schwertfisch.

SCHNELLE FILO FISH PIE

S.

Portionen: 4

ZUTATEN

- 1 Tasse (250 ml) Milch
- 2 Eier, leicht geschlagen
- 1 Esslöffel Dill, gehackt
- 1/2 Tasse (140 g) dicker Joghurt nach griechischer Art
- 1/2 Teelöffel geräucherter Paprika (Pimenton)
- 16 grüne Garnelen, geschält, entdarmt
- 2 x 150 g heißgeräucherte Lachsfilets, abgeplatzt
- 1 Tasse (120 g) gefrorene Erbsen, aufgetaut
- 1 Baby-Fenchelknolle, sehr fein gehackt
- 8 Blatt Filoteig
- 100 g ungesalzene Butter, geschmolzen, leicht abgekühlt

- Zitronenschnitze zum Servieren

VORBEREITUNG

1. Den Backofen auf 180 Grad vorheizen.

2. In einer Rührschüssel Milch, Eier, Dill, Joghurt und Paprika verquirlen. Gießen Sie die Milchmischung in vier ofenfesten 350-ml-Schalen über Garnelen, Lachs, Erbsen und Fenchel. Legen Sie auf einer sauberen Arbeitsfläche zwei Filoblätter aus. Mit Butter bestreichen, dann zerkleinern und vorsichtig auf die Kuchenfüllung legen. Wiederholen Sie mit dem Rest des Filos und der Kuchen.

3. 30 Minuten backen oder bis das Gebäck golden und knusprig ist und die Garnelen durchgegart sind. Zum Abkühlen aktivieren. Zitronenschnitze können mit den Kuchen serviert werden.

CACCIUCCO CON POLENTA (TOSKANISCHER FISCHDAMPF MIT WEICHER POLENTA)

Portionen: 4

ZUTATEN

- 1/4 Tasse (60 ml) natives Olivenöl extra
- 2 Knoblauchzehen, fein gehackt
- 2 EL fein gehackte Petersilienblätter mit flachem Blatt sowie zusätzliche Blätter zum Servieren
- 1/4 Tasse (60 ml) Weißwein
- 2 x 400 g Dosen gehackte Tomaten
- 1,5 l (6 Tassen) Fischbrühe
- 300 g hautloses Leng- oder Barramundi-Filet, ohne Knochen, in 3 cm große Stücke geschnitten

- 12 grüne Garnelen, geschält (Schwänze intakt), entdarmt
- 8 Jakobsmuscheln, Rogen entfernt
- 8 Muscheln, entbeint, geschrubbt
- 8 Muscheln, gespült
- 11/2 Tassen (250 g) Instant-Polenta

VORBEREITUNG

1. In einem großen Topf mit Deckel das Öl bei mittlerer bis hoher Hitze erhitzen. 1-2 Minuten unter ständigem Rühren kochen, bis Knoblauch und Petersilie duftend sind. Gießen Sie den Wein ein und kochen Sie weitere 2-3 Minuten oder bis der Wein vollständig verdunstet ist. Mit den gehackten Tomaten und der Fischbrühe zum Kochen bringen, dann auf mittel-niedrig reduzieren und 20 bis 30 Minuten kochen, bis sie reduziert und leicht eingedickt sind. Nach dem Hinzufügen von Fisch und Garnelen 1 Minute kochen lassen, dann abdecken und weitere 1-2 Minuten kochen lassen, dabei den Topf ein- oder zweimal schütteln, bis sich die Muscheln und Muscheln geöffnet haben und die Meeresfrüchte durchgegart sind. Nehmen Sie die Pfanne von der Sonne.

2. In der Zwischenzeit die Polenta gemäß den Anweisungen in der Packung kochen. Es ist diese Jahreszeit.

3. Teilen Sie die Polenta in vier Tassen, schöpfen Sie sie über den Eintopf und bedecken Sie sie mit Petersilienblättern.

KINGFISH UND PRAWN CEVICHE

Portionen: 6

ZUTATEN

- 1 rote Zwiebel, dünn geschnitten
- 200 g geschälte grüne Garnelen, entdarmt
- 200 g hautlose Kingfish-Filets in Sashimi-Qualität (siehe Hinweis), ohne Knochen, in 1 cm große Stücke geschnitten
- 1 Knoblauchzehe, zerkleinert
- 1 lange grüne Chili, Samen entfernt, fein gehackt
- 2 EL fein gehackter Koriander
- 1 Tasse (250 ml) Limettensaft (ab ca. 7 Limetten) plus Keile zum Servieren
- 2 EL natives Olivenöl extra
- Roggenbrotcroutons zum Servieren

VORBEREITUNG

1. Die Zwiebel 10 Minuten in einer Wanne mit kaltem Wasser einweichen. Lassen Sie das Wasser ab und legen Sie es beiseite.

2. In der Zwischenzeit bei mittlerer Hitze einen kleinen Topf mit Wasser zum Kochen bringen. Bereiten Sie die Garnelen vor, indem Sie sie blanchieren.

Kombinieren Sie den Kingfish, gehackte Garnelen, Knoblauch, Chili und Koriander in einer Keramik- oder Glasschale. Würzen, dann 5 Eiswürfel und genügend Limettensaft einrühren, um die Mischung fast zu bedecken. Ein Drittel der Zwiebel auftragen und umrühren. Nach einigen Augenblicken sollte der Limettensaft einen weißlichen Farbton annehmen. Die Ceviche mit Salz und Pfeffer abschmecken.

4.Rühren Sie das Öl ein, nachdem Sie die Eiswürfel entfernt haben. Mit Croutons und Limettenschnitzen servieren und mit der restlichen Zwiebel garnieren.

KERALAN FISH CURRY

Portionen: 4

ZUTATEN

- 2 Esslöffel Sonnenblumenöl
- 2 Teelöffel Panch Phoran (indische Gewürzmischung) (siehe Hinweis)
- 20 frische Curryblätter (siehe Hinweis)
- 2 Zwiebeln, dünn geschnitten
- 2 Teelöffel gemahlene Kurkuma
- 1 Zimtfeder
- 2 lange rote Chilischoten, Samen entfernt, fein gehackt
- 4cm Stück Ingwer, fein gerieben
- 2 Teelöffel gemahlener Kreuzkümmel
- 1 kg feste weiße Fischfilets (wie Leng) in 4 cm große Würfel schneiden

- 400 ml Kokosmilch
- 400g können gehackte Tomaten
- 2 Teelöffel Tamarindenpüree (siehe Hinweis)
- 1 Teelöffel Puderzucker
- Gedämpfter Basmatireis, Korianderblätter und Limettenschnitze zum Servieren

VORBEREITUNG

1. In einer breiten Pfanne das Sonnenblumenöl bei mittlerer Hitze erhitzen. 1-2 Minuten unter ständigem Rühren kochen, bis das Panch Phoran und die Curryblätter duftend sind. Unter gelegentlichem Rühren 5-6 Minuten kochen lassen oder bis die Zwiebel weich ist, dann Kurkuma, Zimt, Chili, Ingwer und Kreuzkümmel hinzufügen und unter ständigem Rühren 1 Minute lang oder bis sie duftet kochen.

2. Werfen Sie den Fisch unter leichtem Rühren hinein, um ihn mit der Sauce zu bedecken, und fügen Sie dann die Kokosmilch, die gehackte Tomate und eine halbe Tasse (125 ml) Wasser hinzu. 10-15 Minuten kochen lassen oder bis der Fisch gar ist. Nach dem Einrühren von Tamarindenpüree und Puderzucker mit Meersalz und frisch gemahlenem Pfeffer würzen.

3. Verteilen Sie das Fischcurry auf gedämpfte Reisschüsseln. Mit Limettenschnitzen und Korianderblättern servieren.

CRISPY FISH TACOS MIT MANGO SALSA

Portionen: 10

ZUTATEN

- 1/3 Tasse (50 g) Mehl
- 1 Teelöffel geräucherter Paprika (Pimenton)
- 1 Teelöffel gemahlener Kreuzkümmel
- 2 Eier, leicht geschlagen
- 3 Tassen (150 g) Panko-Semmelbrösel (siehe Anmerkungen)
- 500 g Flachkopffilets, in 20 Streifen schneiden
- Sonnenblumenöl zum Frittieren
- 10 Mini-Mehl-Tortillas
- 1/4 Eisbergsalat, zerkleinert

- 200 g saure Sahne
- Zum Servieren scharfe Sauce (wie Tabasco) oder fein gehackte lange rote Chilis

MANGO SALSA

- 1 Mango, gehackt
- 1 Avocado, gehackt
- 1/2 rote Zwiebel, fein gehackt
- 2 Esslöffel gehackter Koriander sowie zusätzliche Blätter zum Servieren
- Saft von 1 Limette plus Keile zum Servieren

VORBEREITUNG

1. Mehl und Gewürze in einer Rührschüssel würzen. Trennen Sie das Ei und die Semmelbrösel in zwei Tassen. Der Fisch sollte zuerst bemehlt, dann in das Ei getaucht und dann gründlich mit Semmelbröseln überzogen werden. 15 Minuten zum Abkühlen einwirken lassen.

2.Um die Mangosalsa zuzubereiten, alle Zutaten in einer Rührschüssel vermischen, mit Salz und Pfeffer würzen und beiseite stellen.

3. Den Ofen auf 150 Grad vorheizen. Eine mit Öl gefüllte breite Pfanne oder Fritteuse auf 190 ° C vorheizen (ein Würfel Brot wird in 30 Sekunden golden, wenn das Öl heiß genug ist). Frittieren Sie den Fisch in 4 Chargen 1 Minute lang oder bis er goldgelb und knusprig ist. Nach dem Entfernen mit einem geschlitzten Löffel auf Papiertüchern abtropfen lassen. Auf ein Backblech legen und im Ofen warm halten, während der Rest des Fisches fertig ist.

4.Während die letzte Partie Fisch kocht, wickeln Sie Tortillas in Folie und dämpfen Sie sie im Ofen.

5. Fügen Sie den Tortillas Salat, Fisch, Mangosalsa, Sauerrahm, scharfe Sauce oder Chili und zusätzlichen Koriander hinzu. Mit Limettenschnitzen an der Seite servieren.

SCHWERTFISCH-SKEWERS MIT CHILLI-ERDNUSS-DRESSING

Portionen: 4

ZUTATEN

- 2/3 Tasse (165 ml) Sojasauce
- 2 Esslöffel brauner Zucker
- 4 x 200 g Schwertfischfilets, in 3 cm große Stücke geschnitten
- CHILLI PEANUT DRESSING
- 1/3 Tasse (80 ml) Erdnussöl
- 8 rote (asiatische) Eschalots, fein gehackt
- 2 lange rote Chilischoten, Samen entfernt, fein gehackt
- 4 Knoblauchzehen, fein gehackt
- 3cm Stück Ingwer, gerieben

- 1/3 fest verpackte Tasse (80 g) brauner Zucker
- 2 Esslöffel Fischsauce
- Saft von 2 Limetten plus Keile zum Servieren
- 1/3 Tasse (50 g) geröstete ungesalzene Erdnüsse, gehackt
- 1/4 Tasse gehackter Koriander plus zusätzliche Blätter zum Servieren

VORBEREITUNG

1. 8 Holzspieße 30 Minuten in kaltem Wasser einweichen (oder Metallspieße verwenden).

2.Mischen Sie in einer separaten Schüssel die Sojasauce und den Zucker unter Rühren, um den Zucker aufzulösen, und fügen Sie dann den Fisch hinzu. Zum Marinieren 10 Minuten ruhen lassen.

3. 1 Esslöffel Öl in einer Pfanne bei mittlerer Hitze für das Dressing erhitzen. Eschalot 3-4 Minuten unter gelegentlichem Rühren goldbraun kochen. Unter ständigem Rühren 1 Minute kochen lassen oder bis Chili, Knoblauch und Ingwer duften. Unter regelmäßigem Rühren 2-3 Minuten kochen lassen oder bis der Zucker zu karamellisieren beginnt. Vom Herd nehmen und Fischsauce, Limettensaft, Nüsse, Koriander, 1/4 Tasse (60 ml) Öl und 1 1/2 Esslöffel Wasser unterrühren. Probieren Sie und passen Sie die Aromen nach Ihren Wünschen an; Sie sollten eine gute Mischung aus süßen, sauren, salzigen und scharfen Aromen haben. In einer Servierplatte servieren.

4. Eine Grillpfanne oder einen Grill bei starker Hitze vorheizen. Fädeln Sie den Fisch mit eingeweichten Spießen auf die Spieße. Auf beiden Seiten 1-2 Minuten grillen oder bis sie verkohlt und fertig sind.

5. Korianderblätter zu den Schwertfischspießen hinzufügen und mit Limettenschnitzen und einem Chili-Erdnuss-Dressing servieren.

FISCH IN EINEM GLAS MIT Fenchel UND ORANGENSALAT GEKOCHT

Portionen: 4

ZUTATEN

- 4 x 180 g feste Weißfischfilets (wie Leng)
- 8 Zitronenthymianzweige
- 8 flache Petersilienzweige
- 2 Esslöffel Olivenöl
- 2 Knoblauchzehen
- 8 ganze schwarze Pfefferkörner
- 4 Zitronenscheiben
- 2 Esslöffel Weißwein
- 400g Dosen Cannellini Bohnen, gespült, abgetropft
- Fenchel und Orangensalat

- 2 kleine Fenchelknollen, dünn geschnitten (eine Mandoline ist ideal), Wedel reserviert
- Saft von 1/2 Zitrone
- 2 Orangen, geschält, in Scheiben geschnitten
- 1 Tasse (120 g) entkernte Kalamata-Oliven
- 1/3 Tasse flache Petersilienblätter
- 1/4 Tasse (60 ml) natives Olivenöl extra

VORBEREITUNG

1. 2 Fischfilets in jedes Glas geben und Thymian, Petersilie, Olivenöl, Knoblauch, Pfefferkörner, Zitronenscheiben und Wein zwischen die Gläser geben. Verschließen und verschließen Sie das Glas nach dem Würzen mit Meersalz.

2. Bringen Sie einen großen Topf Wasser zum Kochen. Stellen Sie die Gläser vorsichtig in die Pfanne und achten Sie darauf, dass das Wasser auf halber Höhe der Seiten kommt. Reduzieren Sie die Hitze auf mittel-niedrig und kochen Sie weitere 20 Minuten oder bis der Fisch undurchsichtig und durchgegart ist.

3. Währenddessen für den Salat alle Zutaten in einer großen Schüssel vermischen, mit Meersalz und frisch gemahlenem schwarzen Pfeffer würzen und vorsichtig mischen.

4. Nehmen Sie die Gläser vorsichtig aus der Pfanne und stellen Sie sie 5 Minuten lang beiseite. Den Salat, die Cannellinibohnen und den Fisch überziehen und mit den reservierten Fenchelwedeln garnieren.

MOQUECA (BRASILIANISCHER FISCHDAMPF)

Portionen: 6

ZUTATEN

- 1 kg hautloses, festes Weißfischfilet (z. B. Schnapper), ohne Nadel, in 3 cm große Würfel geschnitten
- 1/3 Tasse (80 ml) Limettensaft
- 1/4 Tasse (60 ml) Olivenöl
- 1 rote Zwiebel, dünn geschnitten
- 1 grüner Paprika, in dünne Scheiben geschnitten
- 1 roter Paprika, in dünne Scheiben geschnitten
- 3 Knoblauchzehen, fein gehackt
- 2 kurze rote Chilischoten, fein gehackt
- 2 Tassen (500 ml) Fischbrühe

- 400g können gehackte Tomaten
- 270ml Dose Kokosmilch
- 1 Esslöffel Kokosnussöl (siehe Hinweis)
- 6 große grüne Garnelen, geschält (Schwänze intakt), entdarmt
- Korianderblätter und gedämpfter Reis zum Servieren

VORBEREITUNG

1. Werfen Sie den Fisch mit 2 Teelöffeln Limettensaft und 1 Teelöffel Meersalz in eine große Keramikschale. Zum Marinieren 30 Minuten kalt stellen.

2. In einem großen Topf das Olivenöl bei mittlerer Hitze erhitzen. 3 Minuten kochen lassen oder bis die Zwiebel weich ist.

3. Fügen Sie den Paprika, den Knoblauch und den Chili hinzu und kochen Sie ihn weitere 5 Minuten lang oder bis der Paprika weich ist, wobei Sie gelegentlich umrühren.

4. In einer großen Rührschüssel Brühe, Tomaten, Kokosmilch und Kokosöl mischen. Zum Kochen bringen, dann auf mittel reduzieren und 20-25 Minuten kochen lassen oder bis die Flüssigkeit leicht reduziert ist.

5. Garnelen, Fisch und marinierende Säfte hinzufügen und weitere 8-10 Minuten kochen lassen oder bis die Meeresfrüchte gerade durchgegart sind. Mit den restlichen 2 EL Limettensaft abschmecken. Mit Reis und Koriander servieren.

Zitronenkrümelfisch mit Fenchel, Petersilie und Kapernsalat

Portionen: 4

ZUTATEN

- 1/4 Tasse (60 ml) natives Olivenöl extra plus extra zum Nieseln
- 2 Knoblauchzehen, fein gehackt
- Fein geriebene Zitronenschale plus Zitronensaft zum Nieseln
- 1 Tasse (70 g) frische Semmelbrösel
- 2 TL gehackter Zitronenthymian oder normale Thymianblätter
- 2 EL geriebener Parmesan

- 4 x 200 g hautlose, knochenlose, feste weiße Fischfilets (wie z. B. blaue Augen)
- 1 Fenchelknolle
- 50 g Baby-Spinatblätter
- 1/2 Bund flache Petersilie, Blätter gehackt
- 2 EL Babykapern, gespült, abgelassen

VORBEREITUNG

1. Den Ofen auf 190 Grad vorheizen. In einer ofenfesten Pfanne 2 Esslöffel Öl bei schwacher Hitze erhitzen. 2-3 Minuten kochen lassen oder bis Knoblauch und Schale weich sind. Unter ständigem Rühren 2-3 Minuten kochen lassen oder bis die Semmelbrösel vollständig mit Öl überzogen sind (aber nicht gebräunt sind). Mit Salz und Pfeffer würzen und in eine Schüssel mit Thymian und Parmesan geben.

2.Wischen Sie die Pfanne aus und erhitzen Sie den restlichen 1 Esslöffel Öl bei mittlerer Hitze. 1 Minute kochen lassen, bevor die Semmelbröselmischung darüber gegeben wird (keine Sorge, wenn etwas davon in die Pfanne fällt). Wechseln Sie in den Ofen und backen Sie 8 Minuten lang oder bis die Krümel golden sind und der Fisch durchgekocht ist.

3. Aus dem Ofen nehmen, auf einen Teller legen und 5 Minuten abkühlen lassen.

4. Bereiten Sie den Salat vor, während der Fisch ruht. Den Fenchel mit einer Mandoline oder einem scharfen Messer fein rasieren. Kombinieren Sie den Spinat, die Petersilie und die Kapern in einer Rührschüssel. Mit Salz und Pfeffer würzen, dann mit Zitronensaft und zusätzlichem Öl beträufeln und mischen.

5.Servieren Sie den Fisch sofort mit dem Fenchelsalat.

Fisch- und Muschelsuppe

Portionen: 6

ZUTATEN

- 1 kg Muscheln (vongole)
- 1 Esslöffel Olivenöl
- 250 g Speck, fett geschnitten, in Schlagstöcke geschnitten
- 1 Zwiebel, gehackt
- 2 Knoblauchzehen, fein gehackt
- 2 Esslöffel Mehl
- 1 l (4 Tassen) Fischbrühe
- Kleiner Bund Thymianblätter, mit Küchenschnur gebunden
- 1 Lorbeerblatt
- 500 g Wunschkartoffeln, geschält, in 2-3 cm große Stücke geschnitten
- 1 Tasse (250 ml) Milch

- 1 Tasse (250 ml) reine (dünne) Creme
- 500 g hautlose weiße Fischfilets, entbeint (wie Leng oder blaues Auge), in 3 cm große Stücke geschnitten
- Zum Servieren fein gehackte flache Petersilie und knuspriges Brot

VORBEREITUNG

Um die Körnung zu extrahieren, die Muscheln 15 Minuten in einer Schüssel mit kaltem Wasser einweichen. Lassen Sie die Methode fallen.

In einem großen Topf das Öl bei mittlerer bis hoher Hitze erhitzen. Unter gelegentlichem Rühren 3-4 Minuten kochen lassen oder bis sich Fett gebildet hat. Weitere 2-3 Minuten kochen lassen oder bis die Zwiebel und der Knoblauch weich sind.

Mehl unterrühren und verquirlen. Brühe, Thymian, Lorbeerblatt und Kartoffel einrühren, bis alles gut vermischt ist. Es ist diese Jahreszeit. Reduzieren Sie die Hitze auf mittel-niedrig und kochen Sie sie 20 Minuten lang oder bis ein kleines, scharfes Messer die Kartoffel in der Mitte fast zart durchbohrt.

Danach Milch und Sahne hinzufügen, gefolgt vom Fisch. Auf niedrige Hitze reduzieren und 8 Minuten kochen lassen oder bis der Fisch gerade fertig ist.

Lassen Sie die Muscheln abtropfen, legen Sie sie wieder in die Pfanne und kochen Sie sie weitere 3-4 Minuten lang oder bis die Muscheln vollständig gekocht sind und sich die Schalen geöffnet haben.

Mit frisch gemahlenem schwarzen Pfeffer und Schöpflöffel in warme Tassen würzen. Mit knusprigem Brot servieren, die Flüssigkeit aufwischen und mit Petersilie garnieren.

GEBACKENER FISCH MIT SALSA VERDE UND ROSEMARY KARTOFFELN

Portionen: 4

ZUTATEN

- 500 g kleine Wachskartoffeln (wie Anya oder Coliban), in dünne Scheiben geschnitten (eine Mandoline ist ideal)
- 1 Zitrone, dünn geschnitten (eine Mandoline ist ideal), plus 2 TL fein geriebene Schale
- 2 EL gehackter Rosmarin
- 3/4 Tasse (185 ml) Olivenöl
- 1 Knoblauchzehe
- 1 Tasse Petersilie
- 1 Tasse Basilikumblätter

- 2 EL Kapern, gespült, abgelassen
- 4 x 180 g feste weiße Fischfilets (z. B. blaues Auge)

VORBEREITUNG

. Den Backofen auf 200 Grad vorheizen.

Kartoffeln, Zitronenscheiben und Rosmarin mit 1/4 Tasse (60 ml) Öl würzen und in einer Schicht in einer Bratpfanne verteilen. 10 Minuten im Ofen

In der Zwischenzeit Knoblauch, Petersilie, Basilikum, Zitronenschale und Kapern in einer Küchenmaschine fein schneiden, um Salsa Verde herzustellen. Das restliche 1/2 ml (125 ml) Olivenöl langsam in die Mischung träufeln, während der Motor arbeitet. Aus der Gleichung streichen.

Nehmen Sie den Fisch aus dem Ofen und legen Sie ihn auf die Bratpfanne. Auf jedem Filet befindet sich eine Zitronenscheibe aus der Pfanne. Mit Salz und Pfeffer würzen und weitere 8 Minuten backen oder bis der Fisch gar ist.

Mit Nieselregen servieren.

MEERESFRÜCHTE ANTIPASTI-SALAT

Portionen: 4

ZUTATEN

- 1/2 Tasse (125 ml) Weißwein
- 1 kg topffertige Muscheln
- 2 kleine Zucchini
- 1 Tasse wilde Raketenblätter
- 12 Kirschtomaten, halbiert
- 1/3 Tasse (40 g) entkernte Kalamata-Oliven
- 1 Esslöffel Kapern, gespült, abgetropft
- 12 gekochte Garnelen, geschält (Schwänze intakt), entdarmt
- 1/2 Tasse (100 g) im Laden gekaufte geröstete rote Paprikastreifen
- 4 Artischockenherzen in Salzlake, gespült, halbiert

- 4 Grissini (dünne Grissini)
- Zitronenschnitze zum Servieren

VORBEREITUNG

. In einem großen Topf bei starker Hitze den Wein zum Kochen bringen. Nach dem Einsetzen der Muscheln 2 Minuten kochen lassen und die Pfanne gelegentlich schütteln. Alle geöffneten Muscheln sollten in eine breite Schüssel gegeben, abgedeckt und weitere 1-2 Minuten gekocht werden, wobei die Pfanne gelegentlich geschüttelt wird, bis sich alle Muscheln geöffnet haben. Die Muscheln in eine Schüssel geben und beiseite stellen.

Zucchini mit einem Gemüseschäler oder einer Mandoline in lange, dünne Bänder schneiden und mit Rucola, Tomaten, Oliven und Kapern in einer Tasse vermengen. Mit Salz und Pfeffer würzen und mischen.

4 Teller mit Muscheln, Garnelen, Paprika, Artischocken und Zucchinisalat Mit Zitronenschnitzen und Grissini servieren.

FAZIT

LIEFERT OMEGA-3-FETTSÄUREN

Einer der Hauptgründe, warum Fisch so gut für uns ist, ist, dass er einen hohen Anteil an Omega-3-Fettsäuren enthält. In einer Welt, in der die meisten Menschen viel zu viele Omega-6-Fettsäuren aus raffinierten Pflanzenölen, Salatdressings und verarbeiteten Gewürzen konsumieren, ist es dringend erforderlich, Omega-3-Lebensmittel zu vermehren.

Omega-3-Fettsäuren wirken als Gegengewicht zu Omega-6-Fetten und helfen, Entzündungen gering zu halten, indem sie den Gehalt an Omega-3- und Omega-6-Fettsäuren ausgleichen. Omega-3-Fettsäuren gelten als entzündungshemmend, während Omega-6-Fettsäuren entzündungshemmend sind. Wir brauchen beide Arten, aber vielen Menschen fehlen Omega-3-Fettsäuren. Der Konsum höherer Omega-3-Spiegel wurde mit einer besseren psychischen Gesundheit, niedrigeren Triglyceridspiegeln, einer verbesserten reproduktiven Gesundheit und Fruchtbarkeit, einer besseren Hormonkontrolle und einem geringeren Diabetes-Risiko in Verbindung gebracht.

Hilft bei der Verringerung der Entzündung

Der Grund, warum die in Fischen enthaltenen Omega-3-Fettsäuren so wertvoll sind, liegt hauptsächlich in ihrer Fähigkeit, Entzündungen zu bekämpfen. Sie helfen bei der Bekämpfung entzündlicher Erkrankungen, die zu zahlreichen Krankheiten führen, darunter Krebs, rheumatoide Arthritis und Asthma.

Beide oben beschriebenen Arten von mehrfach ungesättigten Fetten spielen eine wichtige Rolle im Körper und tragen zur

Bildung unserer Hormone, Zellmembranen und Immunantworten bei. Aber Omega-3- und Omega-6-Fettsäuren haben entgegengesetzte Wirkungen, wenn es um Entzündungen geht. Im Allgemeinen verursachen zu viel Omega-6 und zu wenig Omega-3 Entzündungen. Es wird angenommen, dass Entzündungen zur Entwicklung chronischer Erkrankungen wie Krebs, Diabetes, Herzerkrankungen und mehr beitragen.

FÖRDERT HERZGESUNDHEIT

EPA und DHA sind zwei Omega-3-Fettsäuren, die für die Kontrolle von Entzündungen und die Förderung der Herzgesundheit unerlässlich sind. Studien zeigen, dass der tägliche Konsum von EPA und DHA dazu beitragen kann, das Risiko von Herzerkrankungen und den Tod durch Herzerkrankungen zu verringern, manchmal so wirksam wie verschreibungspflichtige Medikamente wie Statine. Die Kombination von Nährstoffen in Meeresfrüchten hilft auch, den Herzschlag zu regulieren, den Blutdruck und das Cholesterin zu senken, die Bildung von Blutgerinnseln zu verringern und die Triglyceride zu senken. All dies kann zum Schutz vor Herzkrankheiten und Schlaganfällen beitragen.

Kann helfen, vor Krebs zu schützen

Untersuchungen zeigen, dass der Verzehr von mehr Fisch und Meeresfrüchten mit hohem Omega-3-Gehalt dem Immunsystem zugute kommt und zur Bekämpfung von Krebs beiträgt, indem Entzündungen unterdrückt werden. Während eine vegetarische Ernährung mit einer geringeren Inzidenz bestimmter Krebsarten (wie Darmkrebs) in Verbindung gebracht wurde, ist Pescatarianismus nach einigen Studien im

Vergleich zu Vegetariern und Nichtvegetariern mit einem noch geringeren Risiko verbunden.

Mehrere Studien legen auch nahe, dass der Konsum von reichlich Omega-3-Fettsäuren denjenigen helfen kann, bei denen zuvor Krebs diagnostiziert wurde, indem das Tumorwachstum gestoppt wird. Ein pescatarischer Lebensstil mit hohem Omega-3-Gehalt kann auch Menschen helfen, die sich einer Chemotherapie oder anderen Krebsbehandlungen unterziehen, da sie dazu beitragen, die Muskelmasse aufrechtzuerhalten und Entzündungsreaktionen zu regulieren, die bei Krebspatienten bereits beeinträchtigt sind.

BEKÄMPFEN DEN KOGNITIVEN ABFALL

Omega-3-Fettsäuren wie DHA sind für die ordnungsgemäße Entwicklung des Gehirns und die Aufrechterhaltung der kognitiven Funktion im Alter von entscheidender Bedeutung. Viele Studien haben gezeigt, dass niedrige Omega-3-Spiegel bei älteren Menschen mit mehreren Markern für eine beeinträchtigte Gehirnfunktion verbunden sind, einschließlich Demenz oder Alzheimer-Krankheit. Niedrigere Omega-3-Spiegel während der Schwangerschaft wurden sogar mit Kindern in Verbindung gebracht, die niedrigere Gedächtnistestergebnisse und Lernschwierigkeiten aufweisen.

Steigert die Stimmung

Da sie oxidativen Stress bekämpfen, der die ordnungsgemäße Funktion des Gehirns beeinträchtigt, wurden die Omega-3-Fettsäuren aus Fisch und Meeresfrüchten mit einer besseren psychischen Gesundheit und einem geringeren Risiko für Demenz, Depressionen, Angstzustände und ADHS in Verbindung gebracht. Dies bedeutet, dass eine Pescatarian-

Diät ein natürliches Mittel gegen Angstzustände sein und dabei helfen kann, die Symptome von ADHS zu lindern und gleichzeitig die Symptome einer Depression zu bekämpfen.

UNTERSTÜTZT GEWICHTSVERLUST

Viele Menschen haben begonnen, die Pescatarian-Diät zur Gewichtsreduktion zu verwenden, und das aus gutem Grund. Eine geringe Aufnahme von Omega-3-Fettsäuren wurde mit Fettleibigkeit und Gewichtszunahme in Verbindung gebracht. Studien zeigen auch, dass Menschen, die mehr pflanzliche Lebensmittel essen (einschließlich Vegetarier), tendenziell niedrigere BMIs und ein besseres Gewichtsmanagement haben, wahrscheinlich weil sie mehr Ballaststoffe und weniger Kalorien essen.

Nicht nur das, sondern auch gesunde Proteine und Fette sind entscheidend, um sich satt zu fühlen, und viele der in Fischen enthaltenen Nährstoffe können dazu beitragen, das Verlangen zu reduzieren. Streben Sie unabhängig von Ihrer Ernährung eine hohe Aufnahme von Obst, Gemüse, hochwertigen Proteinen, gesunden Fetten, Samen, Nüssen, Ballaststoffen und sekundären Pflanzenstoffen an. All dies kann Ihnen helfen, schnell Gewicht zu verlieren und es fernzuhalten.

Buch der Rezepte zum Kochen von Fisch

+50 köstliche einfache Meeresfrüchte-Rezepte

Anja Ziegler

Haftungsausschluss

Die enthaltenen Informationen sollen als umfassende Sammlung von Strategien dienen, über die der Autor dieses eBooks recherchiert hat. Zusammenfassungen, Strategien, Tipps und Tricks sind nur Empfehlungen des Autors. Das Lesen dieses eBooks garantiert nicht, dass die Ergebnisse genau den Ergebnissen des Autors entsprechen. Der Autor des eBooks hat alle zumutbaren Anstrengungen unternommen, um den Lesern des eBooks aktuelle und genaue Informationen zur Verfügung zu stellen. Der Autor und seine Mitarbeiter haften nicht für unbeabsichtigte Fehler oder Auslassungen. Das Material im eBook kann Informationen von Dritten enthalten. Materialien von Drittanbietern bestehen aus Meinungen, die von ihren Eigentümern geäußert wurden. Daher übernimmt der Autor des eBooks keine Verantwortung oder Haftung für Material oder Meinungen Dritter.

EINFÜHRUNG

Eine pescatarianische Diät ist eine flexible vegetarische Diät, die Fisch und andere Meeresfrüchte umfasst. Wenn Sie einer vegetarischen Ernährung Fisch hinzufügen, profitieren Sie von folgenden Vorteilen:

Fischprotein erhöht das Sättigungsgefühl im Vergleich zu Rindfleisch und Huhn. Dies bedeutet, dass Sie sich schnell satt fühlen und nicht zu viel essen. Wenn Sie ein paar Pfund abnehmen möchten, ist es der richtige Zeitpunkt, um eine pescatarianische Diät zu beginnen.

Calcium ist äußerst wichtig für Ihre Knochengesundheit. Das bloße Essen von Gemüse versorgt Ihren Körper nicht mit ausreichend Kalzium. Aber das Hinzufügen von Fisch zu einer vegetarischen Ernährung tut es

Fetthaltiger Fisch ist eine großartige Quelle für Omega-3-Fettsäuren. Diese Säuren senken Entzündungen im Körper, was wiederum das Risiko für Fettleibigkeit, Diabetes und Herzerkrankungen verringert.

Im Vergleich zu anderen tierischen Proteinen trägt der Verzehr von Fisch weniger zur Treibhausgasemission bei. So können Sie die Umwelt und Ihre Gesundheit schützen.

Für manche kann es langweilig sein, nur Gemüse, Obst und Nüsse zu essen. Das Hinzufügen von Fisch oder anderen

Meeresfrüchten verbessert den Geschmack und die allgemeine Stimmung beim Mittag- und / oder Abendessen.

Viele Menschen sind allergisch gegen Eier, laktoseintolerant oder möchten möglicherweise Fleisch oder Milchprodukte nicht essen. Für sie kann Fisch eine gute Quelle für komplettes Protein, Kalzium und gesunde Fette sein.

WAS ESSEN PESCATARIANS?

MEERESFRÜCHTE: Makrele, Barsch, Schellfisch, Lachs, Thunfisch, Hilsa, Sardinen, Pomfret, Karpfen, Kabeljau, Kaviar, Muscheln, Krebse, Austern, Garnelen, Hummer, Krabben, Tintenfische und Jakobsmuscheln.

GEMÜSE: Spinat, Mangold, Radieschen, Karottengrün, Bengal-Gramm-Grün, Rote Beete, Karotte, Brokkoli, Blumenkohl, Kohl, Chinakohl, Süßkartoffel, Radieschen, Rübe, Pastinake, Grünkohl, Gurke und Tomate.

FRÜCHTE: Apfel, Banane, Avocado, Erdbeeren, Brombeeren, Maulbeeren, Blaubeeren, Stachelbeeren, Ananas, Papaya, Drachenfrucht, Passionsfrucht, Wassermelone, Warzenmelone, Guave, Pfirsich, Birne, Pluot, Pflaume und Mango.

PROTEIN: Kidneybohnen, Linsen, Fisch, Pilze, Bengal-Gramm, Sprossen, schwarzäugige Erbsen, Kuherbsen, Kichererbsenbohnen, Sojabohnen, Sojamilch, Edamame und Tofu.

GANZKÖRNER: Brauner Reis, Gerste, Weizenbruch, Sorghum, Mehrkornbrot und Mehrkornmehl.

FETTE & ÖLE: Olivenöl, Avocadoöl, Fischöl, Ghee, Sonnenblumenbutter und Reiskleieöl.

Nüsse & Samen Mandeln, Walnüsse, Pistazien, Macadamia, Pinienkerne, Haselnüsse, Sonnenblumenkerne, Melonensamen, Kürbiskerne, Chiasamen und Leinsamen.

Kräuter Gewürze Koriander, Dill, Fenchel, Petersilie, Oregano, Thymian, Lorbeerblatt, Chiliflocken, Chilipulver, rotes Kashmiri-Chilipulver, Kurkuma, Koriander, Kreuzkümmel, Senfkörner, englischer Senf, Senfpaste, Sternanis, Safran, Kardamom, Nelke, Knoblauch, Zimt, Ingwer, Muskatblüte, Muskatnuss, Piment, Zwiebelpulver, Knoblauchpulver und Ingwerpulver.

GETRÄNKE: Wasser, Kokoswasser, Entgiftungswasser und frisch gepresste Obst- / Gemüsesäfte.

Mit diesen Zutaten können Sie leicht einen Diätplan erstellen, der ernährungsphysiologisch ausgewogen ist. Schauen Sie sich dieses Beispiel für einen pescatarischen Diätplan an.

RAUCHFISCHKUCHEN MIT NASTURTIUM CRUMBS

Portionen: 12

ZUTATEN

- 500 g ungefärbter geräucherter Kabeljau
- 2 Tassen (500 ml) Milch
- 1 Lorbeerblatt
- 1 EL Sonnenblumenöl plus extra zum Frittieren
- 1 Zwiebel, fein gehackt
- 1 Knoblauchzehe, fein gehackt
- 500 g Pontiac- oder Desiree-Kartoffeln, geschält, geviertelt
- 30 g ungesalzene Butter
- 2 Eier, leicht geschlagen

- 1 Eigelb extra
- 20 Kapuzinerkresseblüten und -blätter
- 2 Tassen (100 g) Panko-Semmelbrösel
- 1 1/4 Tassen (100 g) geriebener Parmesan
- 2 Tassen (300 g) Mehl, gewürzt
- 1 Tasse (300 g) Vollei-Mayonnaise
- 2 EL Zitronensaft

VORBEREITUNG

1. Legen Sie den Fisch mit der Fleischseite nach unten in eine breite Pfanne mit Milch und Lorbeerblatt und pochieren Sie ihn 6 Minuten lang oder bis er bei mittlerer Hitze weich ist. Entfernen Sie das Lorbeerblatt und geben Sie es in eine Tasse, wobei Sie die Wilderungsflüssigkeit aufbewahren. Aus der Gleichung streichen.

2. In der Zwischenzeit Öl in einer Pfanne bei mittlerer Hitze erhitzen und Zwiebel und Knoblauch ca. 1-2 Minuten weich kochen.

3. Einen Topf mit kaltem Salzwasser bei mittlerer Hitze mit der Kartoffel zum Kochen bringen. 12 Minuten kochen lassen oder bis das Gemüse weich ist. Abgießen, dann mit Butter und gerade genug der reservierten Fischwilderflüssigkeit zerdrücken, um die Mischung zu befeuchten, während sie steif bleibt. Mit Salz und Pfeffer würzen, dann die Zwiebelmischung und das Eigelb hinzufügen. Flocken Sie den Fisch ab und geben Sie ihn in die Kartoffelmischung, wobei Sie die Haut und alle Knochen wegwerfen. Machen Sie 12 Pastetchen aus der Mischung.

4. Reservieren Sie 10 Kapuzinerkresseblüten für den Salat, zerreißen Sie den Rest in kleine Stücke und werfen Sie ihn mit

Semmelbröseln (oder pulsieren Sie kurz Blumen und Semmelbrösel in einer kleinen Küchenmaschine). Rühren Sie den Parmesan ein, bis er gut vermischt ist.

5. Fischfrikadellen mit gewürztem Mehl bestreichen, überschüssiges Mehl abschütteln, dann in geschlagenes Ei, gefolgt von Paniermehlmischung. Zum Festigen 15 Minuten entspannen.

6. In der Zwischenzeit ein lockeres Dressing mit Mayonnaise, Zitronensaft und etwas warmem Wasser herstellen. Kombinieren Sie in einer Tasse die Kapuzinerkresseblätter und die reservierten Blüten. Aus der Gleichung streichen.

7. Gießen Sie die Hälfte des Öls in eine Fritteuse oder einen großen Topf und erhitzen Sie es auf 190 ° C (ein Brotwürfel wird in 30 Sekunden golden, wenn das Öl heiß genug ist). Frittieren Sie die Fischfrikadellen 1 1/2 Minuten lang oder bis sie goldbraun sind. Auf Papiertüchern abtropfen lassen und warm halten, bis der Rest der Fischfrikadellen fertig ist.

8. Zum Nieseln warme Fischfrikadellen mit Kapuzinerkressesalat und Zitronenmayonnaise servieren.

TERIYAKI FISH PAKETE

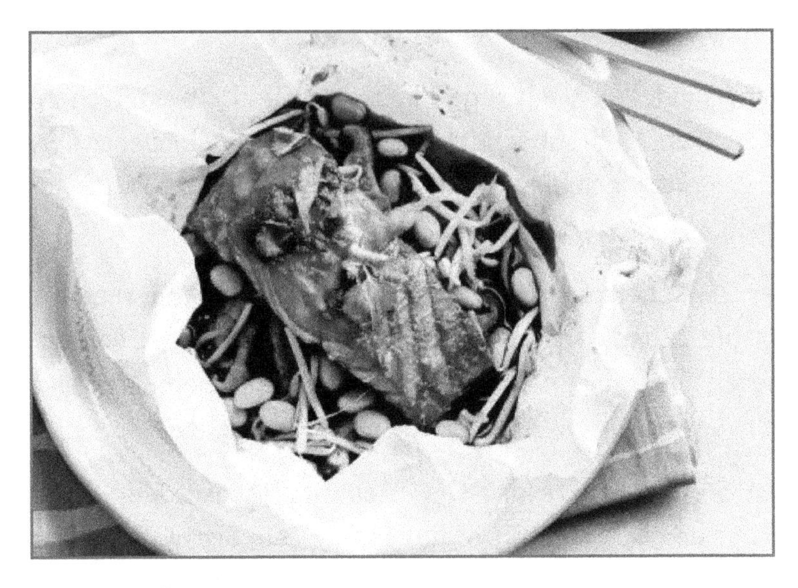

- 2 EL Mirin
- 2 EL Sake
- 1/4 Tasse (60 ml) dunkle Sojasauce
- 2 TL Honig
- 4cm Stück Ingwer, gerieben
- 4 x 150 g Lengfilets (oder andere feste Weißfischfilets)
- 200 g Shiitake-Pilze, in Scheiben geschnitten
- 200 g gefrorenes Edamame, Haut entfernt
- 2/3 Tasse (25 g) Sojasprossen
- Koriander geht, um zu dienen

VORBEREITUNG

1.Mischen Sie in einer Rührschüssel Mirin, Sake, Soja, Honig und Ingwer. Über den Fisch gießen und 30 Minuten marinieren.

2. Bereiten Sie einen Grill mit hoher Hitze (mit Deckel) oder einen Ofen auf 225 ° C vor. Den Fisch aus der Marinade nehmen

und 1/3 Tasse (80 ml) beiseite stellen. Legen Sie zwei 50-cm-Quadrate Folie für jedes Paket übereinander und dann ein 50-cm-Quadrat Backpapier darüber. Um einen Becher herzustellen, falten Sie die Enden der Folie über das Papier. In die Mitte jeder Tasse ein Stück Fisch geben, mit Pilzen bestreuen und mit 1 Esslöffel der reservierten Marinade beträufeln. Um ein Paket zu machen, sammeln Sie die Enden des Backpapiers und der Folie zusammen. Auf einen Grill legen und den Deckel schließen oder 15 Minuten backen oder bis es im Ofen durchgekocht ist.

3. In der Zwischenzeit das Edamame in eine Schüssel geben, mit kochendem Wasser bedecken und 5 Minuten zum Einweichen beiseite stellen. Lass das Wasser ab.

4. Zum Essen Edamame, Sojasprossen und Korianderblätter über die Forelle streuen.

RÄUCHER-TROUT-FISCHKUCHEN MIT PEA UND WASSERKRESSENSALAT

Portionen: 4

ZUTATEN

- 800g Desiree Kartoffeln, geschält, gehackt
- Fein geriebene Schale und Saft von 1 Zitrone sowie zusätzliche Keile zum Servieren
- 1/4 Tasse gehackter Schnittlauch plus extra zum Servieren
- 300 g geräucherte Meerforelle, grob gehackt
- 200 g Crème Fraiche
- 2 Eier, leicht mit 1 EL Wasser geschlagen
- 1/2 Tasse (50 g) getrocknete Semmelbrösel

- Olivenöl zum Flachbraten sowie extra zum Nieseln
- 1 TL Dijon-Senf
- 1 EL Apfelessig
- 1 Tasse (160 g) frische Erbsen
- 1 Bund Brunnenkresse

VORBEREITUNG

1. In einen großen Topf mit kaltem Salzwasser die Kartoffeln geben. Zum Kochen bringen, dann auf mittlere bis hohe Hitze reduzieren und 15-20 Minuten kochen lassen oder bis das Gemüse zart ist. Nach dem Abtropfen in die Pfanne zurückkehren. 30 Sekunden unter ständigem Rühren erhitzen, um überschüssiges Wasser zu entfernen. Vor dem groben Maischen etwas abkühlen lassen.

2.Mischen Sie in einer Rührschüssel Zitronenschale, Schnittlauch, Meerforelle und 2 Esslöffel Creme Fraiche.

3. Nach Geschmack salzen und pfeffern, abdecken und 15 Minuten kalt stellen.

4. Machen Sie 12 Kugeln aus der Mischung und drücken Sie sie leicht flach, um 3 cm dicke Pastetchen zu erhalten. Paniermehl nach dem Überziehen mit Eierwaschmittel einrollen.

5. 2 cm Öl in einer Pfanne bei mittlerer Hitze erhitzen und die Fischfrikadellen in Portionen 1 1/2 Minuten pro Seite oder bis sie goldgelb und knusprig sind, flach braten. Nehmen Sie überschüssige Flüssigkeit mit einem Papiertuch auf und halten Sie sie warm.

6. In einer separaten Tasse den Dijon-Senf, den Apfelessig und die restliche Crème Fraiche verquirlen, abschmecken und beiseite stellen. In einer Rührschüssel Erbsen und

Brunnenkresse mischen. Nach dem Nieseln mit Zitronensaft und Olivenöl mit Salz und Pfeffer würzen.

7.Servieren Sie Fischfrikadellen mit Salat, Crème Fraiche-Sauce, Zitronenschnitzen und zusätzlichem Schnittlauch.

THAI FISH PIE

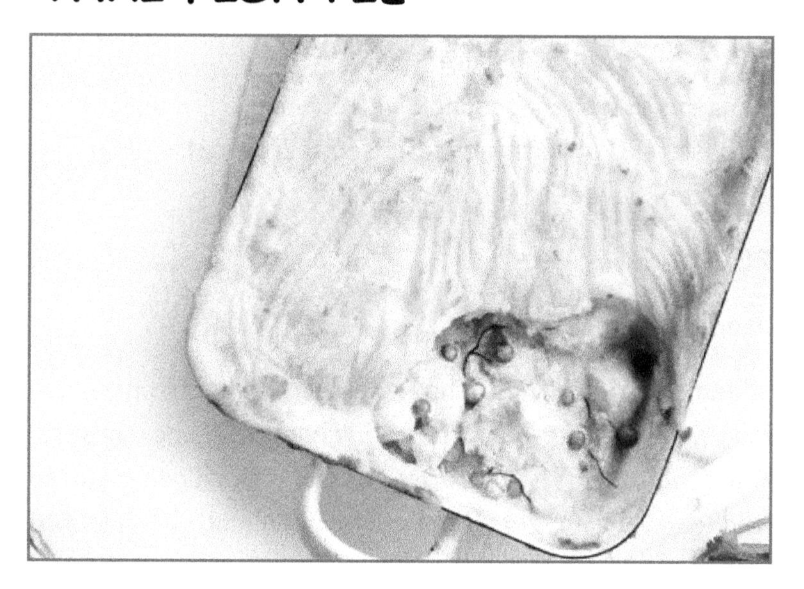

S.

Portionen: 4

ZUTATEN

- 400ml Dose Kokosmilch
- 1 Zitronengrasstiel (nur innerer Kern)
- 2 Knoblauchzehen, fein gehackt
- 2cm Stück Ingwer, gerieben
- 2 TL geriebener Palmzucker
- 1 lange rote Chili, Samen entfernt, gehackt
- 2 TL Fischsauce
- Saft von 1/2 Limette
- 4 Kaffirlimettenblätter, 2 zerkleinert
- 2 EL grüne Curry-Paste
- 1,2 kg Pontiac-Kartoffeln, grob gehackt
- 80 g ungesalzene Butter plus extra zu punktieren

- 1/4 Tasse (60 ml) Milch
- 250 g hautlose Lengfilets, gehackt
- 250 g hautlose Lachsfilets, gehackt
- 16 grüne Garnelen, geschält, entdarmt
- 1 Tasse (120 g) gefrorene Erbsen, aufgetaut
- 2 EL fein gehackte Korianderblätter

VORBEREITUNG

1. Den Ofen auf 180 Grad vorheizen.

2. In einem mittelgroßen Topf Kokosmilch, Zitronengras, Knoblauch, Ingwer, Zucker, Chili, Fischsauce, Limettensaft, Kaffirlimettenblätter und Curry-Paste hinzufügen. Unter gelegentlichem Rühren zum Kochen bringen und 10 Minuten ziehen lassen.

3.Legen Sie die Kartoffel in der Zwischenzeit in einen Topf mit kaltem Salzwasser bei starker Hitze. Zum Kochen bringen, dann auf niedrige Hitze reduzieren und 12 Minuten kochen lassen oder bis das Gemüse zart ist. Die Kartoffeln abtropfen lassen und zerdrücken, dann Butter und Milch hinzufügen, mit Salz und Pfeffer würzen und mit einem Holzlöffel glatt und locker schlagen.

4. In einer 1,2-l-Auflaufform Thunfisch, Garnelen und Erbsen mischen. Zitronengras und ganze Limettenblätter aus der Sauce nehmen und wegwerfen. Nach dem Auftragen des Korianders über die Meeresfrüchte gießen.

5. Mit extra Butter bestreichen und mit Kartoffelpüree belegen. Die Oberfläche mit einer Gabel harken.

6. 25-30 Minuten backen oder bis die Oberseite golden ist und die Meeresfrüchte gekocht sind.

FISH STEW IM FRANZÖSISCHEN STIL

S.

Portionen: 6

ZUTATEN

- 1/4 Tasse (60 ml) Olivenöl
- 6 große grüne Garnelen, geschält (Schwänze intakt), entdarmt, Muscheln reserviert
- 150ml Weißwein
- 200 ml Fischbrühe von guter Qualität
- 1 kleine Fenchelknolle, fein gehackt
- 1 Zwiebel, fein gehackt
- 3 Knoblauchzehen, dünn geschnitten
- 1 Wunschkartoffel, gehackt
- Gemahlene Schale von 1 Orange

- 1 Lorbeerblatt
- 2 TL gehackte Thymianblätter
- 1 EL Harissa
- 2 EL Tomatenpüree
- 400g können gehackte Tomaten
- 12 Muscheln, entmutigt
- 200 g fester Fisch ohne Knochen, in 3 cm große Stücke geschnitten
- 1/2 Tasse (150 g) Vollei-Mayonnaise
- 2 EL gehackte flache Petersilienblätter
- Baguette, um zu dienen

VORBEREITUNG

1. In einer breiten Pfanne 1 Esslöffel Öl bei mittlerer bis hoher Hitze erhitzen. Die Garnelenschalen ca. 1-2 Minuten braten, bis sie rosa werden. 2-3 Minuten kochen lassen oder bis der Wein halbiert ist. Die Brühe zum Kochen bringen, abseihen und beiseite stellen.

2. In einer Pfanne die restlichen 2 EL Öl bei mittlerer Hitze erhitzen. Mit Salz und Pfeffer würzen, dann die Hitze reduzieren und Fenchel, Zwiebel und Knoblauch hinzufügen.

3. 10 Minuten kochen lassen oder bis das Gemüse weich ist, eingewickelt.

4. In der Zwischenzeit die Kartoffel 10 Minuten lang oder fast zart in einem Topf mit kochendem Salzwasser kochen und dann abtropfen lassen.

5. Werfen Sie die Zwiebelmischung mit der Orangenschale, dem Lorbeerblatt, dem Thymian und der Hälfte der Harissa. Die Kartoffel, das Tomatenpüree, die Tomatenkonserven und die

abgesiebte Brühe werden dann hinzugefügt. Nach 10 Minuten köcheln lassen oder bis es leicht reduziert ist.

6. Die geschälten Garnelen, Muscheln und Fische zum Kochen bringen. Abdecken und 3 Minuten kochen lassen oder bis sich die Muscheln geöffnet haben und die Meeresfrüchte gerade gekocht sind.

7. Kombinieren Sie Mayonnaise und verbleibende Harissa in einer Rührschüssel. Den Eintopf mit Baguette und Mayonnaise, garniert mit Petersilie, servieren.

THAI RED FISH CURRY MIT NUDELN

Portionen: 4

ZUTATEN

- 200g Pad Thai Reisnudeln
- 1/4 Tasse (60 ml) Erdnussöl
- 600 g feste weiße Fischfilets ohne Knochen (z. B. Leng), in 2 cm dicke Scheiben geschnitten
- 2 Knoblauchzehen, fein gehackt
- 1/2 Bund Frühlingszwiebeln, gehackte, dunkle und blasse Teile getrennt
- 1 Bund Koriander, Blätter gepflückt, Wurzeln gehackt
- 1/4 Tasse (60 ml) Thai rote Curry Paste
- 1 Esslöffel Fischsauce
- 150g Zuckerschoten
- 2/3 Tasse (165 ml) Kokoscreme

- 1/2 Tasse (75 g) gehackte Erdnüsse
- Sojasprossen zum Servieren
- Limettenschnitze zum Servieren

VORBEREITUNG

1. Nudeln 10 Minuten in heißem Wasser oder bis sie weich sind einweichen, dann abtropfen lassen. Aus der Gleichung streichen.

2. Den Fisch mit 1 Esslöffel Öl in einem Wok bei starker Hitze würzen. Die Hälfte des Fisches sollte 2 Minuten lang oder bis er goldbraun ist gebraten und dann auf ein Tablett gelegt werden. Wiederholen Sie mit dem restlichen Fisch und 1 EL Öl.

3. In einer separaten Pfanne den restlichen 1 Esslöffel Öl erhitzen und den Knoblauch, die weiße Frühlingszwiebel und die Korianderwurzel hinzufügen. 1-2 Minuten braten oder bis das Gemüse weich ist. Rühren Sie die Curry-Paste für weitere 2 Minuten oder bis sie duftet, ein, fügen Sie dann die Fischsauce, die Zuckerschoten und 1/4 Tasse (60 ml) Wasser hinzu und kochen Sie sie für weitere 2 Minuten oder bis die Sauce leicht reduziert ist. Den Fisch zusammen mit der restlichen Frühlingszwiebel und der Kokoscreme wieder in den Wok geben und mischen und durchwärmen.

4. Werfen Sie die Nudelmischung in vier Schalen und bedecken Sie sie mit dem Fischcurry. Sofort mit Korianderblättern, Erdnüssen, Sojasprossen und Limettenschnitzen servieren.

SCHWARZER FISCH MIT SÜSSEN KARTOFFELCHIPPS

Portionen: 4

ZUTATEN

- 4 x 180 g Filets mit blauen Augen, Haut entfernt
- 30 g ungesalzene Butter, geschmolzen
- 2 EL Cajun Gewürzmischung
- 1/3 Tasse (80 ml) Olivenöl
- 800 g Süßkartoffel, in Pommes geschnitten
- 1 1/2 TL Puderzucker
- Aioli, Korianderblätter und Zitronenschnitze zum Servieren

VORBEREITUNG

1. Den Fisch mit Butter bestreichen, mit Salz und Pfeffer würzen und mit der Cajun-Gewürzmischung bestreuen. Aktivieren Sie 30 Minuten zum Marinieren.

2. Den Ofen auf 220 ° C vorheizen. Die Pommes Frites mit 1/4 Tasse (60 ml) Öl beträufeln und mit Salz und Zucker würzen. 25 Minuten backen, auf halber Höhe oder bis sie knusprig sind, auf einem Rost über einem Backblech backen.

3. In einer separaten Pfanne das restliche 1 EL Öl bei mittlerer bis hoher Hitze erhitzen. 6-8 Minuten kochen lassen, dabei einmal wenden, bis der Fisch fertig ist. Nebenbei den Fisch mit Pommes, Aioli, Koriander und Zitronenschnitzen servieren.

FISH BANH MI MIT SCHNELL GEMACHTEM GEMÜSE

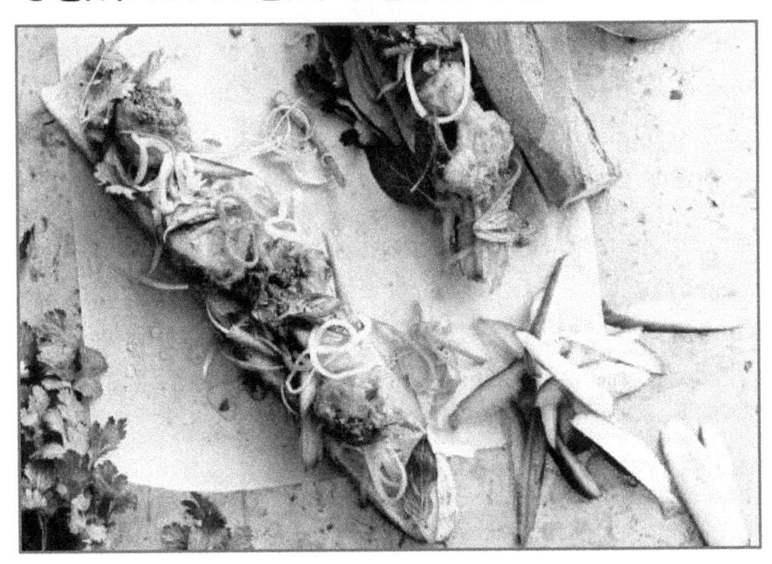

Portionen: 4

ZUTATEN

- 1 Teelöffel gemahlene Kurkuma
- 2 Esslöffel Mehl
- 1/3 Tasse (80 ml) Milch
- 2 Esslöffel frischer Dill, gehackt
- 500 g feste weiße Fischfilets ohne Knochen (z. B. blaues Auge), in 2 cm große Stücke geschnitten
- 2 Esslöffel Kokosöl
- 1 dickes Baguette, geteilt
- 1 libanesische Gurke, in dünne Scheiben geschnitten
- 1 Tasse frischer Koriander

- 1 Tasse Thai Basilikumblätter
- 1 Limette, halbiert
- SCHNELL GEWICKELTES GEMÜSE
- 1/3 Tasse (75 g) Kokosnusszucker
- 1/3 Tasse (80 ml) Reisessig
- 1 Karotte, in Streichhölzer geschnitten
- 1 kleiner Daikon (asiatischer weißer Rettich), in Streichhölzer geschnitten

VORBEREITUNG

1.Kombinieren Sie Zucker und Essig in einem kleinen Topf bei schwacher Hitze, rühren Sie, bis sich der Zucker aufgelöst hat, und legen Sie ihn zum Abkühlen für das einfache eingelegte Gemüse beiseite. Weitere 30 Minuten ruhen lassen, um die Karotten und das Daikon einzulegen, und dann abtropfen lassen.

2. In einer separaten Schüssel Kurkuma und Mehl mischen und würzen. In einer separaten Schüssel Milch und Dill vermischen. Schütteln Sie überschüssiges Mehl ab, nachdem Sie den Fisch in die Milchmischung und dann in die Mehlmischung getaucht haben.

3. In einer mittelgroßen Pfanne das Öl erhitzen. Kochen Sie den Fisch in Chargen für 3-4 Minuten, einmal drehen oder bis er goldbraun ist.

4. Das Innere des Baguettes mit etwas Öl aus der Pfanne bestreichen. Den Thunfisch, die Gurke, das eingelegte Gemüse, den Koriander und das Thai-Basilikum auf das Baguette legen. Zum Servieren Limettensaft darüber drücken.

GEHÄRTETER KINGFISH MIT PICKLED BABY BEETROOT

S.

Portionen: 4

ZUTATEN

- Jeweils 1 TL schwarze Pfefferkörner, Koriandersamen und Fenchelsamen, zerkleinert
- 1/2 Tasse (110 g) Meersalzfälschungen
- 1/2 Tasse (110 g) Puderzucker
- 1/2 Tasse gehackter Dill plus Zweige zum Servieren
- 500 g hautloses Kingfish-Filet in Sashimi-Qualität
- 100 g saure Sahne
- 1/3 Tasse (80 ml) Milch
- 2 TL Zitronensaft
- Flache Petersilienblätter zum Servieren

- PICKLED BABY BEETROOT
- 1/3 Tasse (80 ml) Weißweinessig
- 2 Lorbeerblätter
- 1 TL Koriandersamen
- 2 EL Puderzucker
- 3 TL Limettensaft
- 1 Bund rohe Baby-Rote Beete, geschält, sehr dünn geschnitten

VORBEREITUNG

1. In einer Rührschüssel die Gewürze, das Salz, den Zucker und den Dill vermischen. Drehen Sie den Fisch, um ihn in die Sauce zu geben. Bedeckt 3-4 Stunden im Kühlschrank lagern. Gründlich ausspülen und trocken tupfen.

2. In einer Pfanne bei mittlerer Hitze Essig, Lorbeer, Koriandersamen, Zucker, 1/3 Tasse (80 ml) Wasser und 2 TL Salz für die Rote Beete mischen. Zum Kochen bringen, dann die Hitze abstellen und die Limette hinzufügen. Gießen Sie die Beizflüssigkeit in einer Schüssel über die Rüben. Mit Salz und Pfeffer würzen. 2 Stunden einlegen lassen. Lass das Wasser ab.

3. In einer Rührschüssel Sauerrahm, Milch und Zitronensaft vermischen. Es ist diese Jahreszeit.

4. Den Fisch in dünne Scheiben schneiden und mit einer gewürzten Rote Beete, Dill und Petersilie servieren.

GEHÄRTETE TROUT MIT Fenchelsalat und Fischknacken

Portionen: 4

ZUTATEN

- 500 g Regenbogen- oder Süßwasserforelle, filetiert (Haut intakt), ohne Knochen
- 1/2 Tasse (110 g) Puderzucker
- 150g Meersalzfälschungen
- 1/4 Bund Dill, fein gehackt
- Fein geriebene Schale von 1 1/2 Zitronen plus Saft von 1 Zitrone
- Sonnenblumenöl zum Frittieren
- 1 Babyfenchel, Wedel reserviert
- 2 EL Olivenöl

- 1 libanesische Gurke, geschält, fein gehackt
- 1 EL Babykapern, gespült, abgelassen
- 100 g Crème Fraiche

VORBEREITUNG

1.Entfernen Sie die Haut von den Forellenfilets, schneiden Sie die Haut ab und kratzen Sie sie sauber. Decken Sie die Haut in Plastikfolie ab und stellen Sie sie bis zur Verwendung in den Kühlschrank.

2. In einer Rührschüssel Zucker, Salz, Dill und die Hälfte der Zitronenschale vermischen. Legen Sie die Hälfte der Zuckermischung auf ein großes Stück Plastikfolie auf einer Arbeitsfläche. Mit der restlichen Mischung bedecken und die Forelle darauf legen. In eine Auflaufform legen, fest in Plastikfolie eingewickelt (die Kur kann Flüssigkeit herausziehen). Über Nacht kühlen lassen.

3. Den Ofen am nächsten Tag auf 75 ° C vorheizen. Legen Sie die Häute auf ein mit Pergamentpapier ausgelegtes Backblech. 30 Minuten backen oder bis sie knusprig sind, dann jedes Stück Haut mit einer Küchenschere vierteln.

4.Heizen Sie einen kleinen Topf, der zur Hälfte mit Sonnenblumenöl gefüllt ist, auf 190 ° C (ein Würfel Brot wird in 30 Sekunden golden). Die Häute 1 Minute in einer Fritteuse knusprig machen. Nach dem Abtropfen auf Papiertüchern und dem Würzen mit Salz beiseite stellen.

5. Mit einer Mandoline den Fenchel fein rasieren und mit Olivenöl und Zitronensaft vermischen. Spülen Sie die Forelle unter fließendem kaltem Wasser ab, nachdem Sie sie aus der Plastikfolie genommen haben. Mit einem Papiertuch trocken

tupfen. Forellen können mit einem scharfen Messer in 1 cm große Stücke geschnitten werden.

6. Kombinieren Sie die Forelle, Gurke, Kapern und die restliche Zitronenschale in einer Rührschüssel. Mit Crème Fraiche, Knistern und reservierten Fenchelwedeln auf der Mischung aus Fenchelsalat und Forelle servieren.

BRÜSSEL SPROUTS MIT FISH SAUCE VINAIGRETTE

Portionen: 4

ZUTATEN

- Sonnenblumenöl zum Frittieren
- 500g Rosenkohl, halbiert
- 1/4 Bund Koriander, Blätter gepflückt
- 1/4 Tasse fein gehackte Minzblätter
- FISH SAUCE VINAIGRETTE
- 1/4 Tasse (60 ml) Fischsauce
- 1 EL Reisessig
- 1/2 Limette, verkohlt, entsaftet
- 1 1/2 EL Puderzucker
- 1 Knoblauchzehe, zerkleinert

- Je 1 kleine rote Chili und kleine grüne Chili, in dünne Scheiben geschnitten

VORBEREITUNG

1.Um die Vinaigrette zuzubereiten, verquirlen Sie alle Zutaten in einer Schüssel mit 2 EL Wasser.

2.Heizen Sie eine mit Öl gefüllte Fritteuse oder einen großen Topf auf 180 ° C. Kochen Sie den Rosenkohl in Chargen von 2-3 für 1-2 Minuten, bis die äußeren Blätter dunkelbraun und die Sprossen zart sind. Nehmen Sie überschüssige Flüssigkeit mit einem Papiertuch auf.

3. Zum Servieren die Sprossen, den Koriander und die Minze auf einem Servierteller mit 1/3 Tasse (80 ml) Vinaigrette mischen und vorsichtig mischen.

SOUPE DE POISSON (FISCHSUPPE)

S.

Portionen: 6

ZUTATEN

- 2 Esslöffel Olivenöl
- 2 Zwiebeln, grob gehackt
- 2 Lauch (nur blasser Teil), gehackt
- 1 kg gemischte Meeresfrüchte (wie ganze Garnelen, Lachs und blaue Augen)
- 1 Fenchelknolle, gehackt
- 4 Tomaten, gehackt
- 2 gehackte Knoblauchzehen
- 2 flache Petersilienzweige sowie gehackte Petersilie zum Servieren
- 2 Lorbeerblätter
- 1 lange gestreifte Orangenschale

- 1 Esslöffel Tomatenmark
- 1 l (4 Tassen) Fischbrühe von guter Qualität
- 2 Tassen (500 ml) provenzalische Fischsuppe oder Hummerbiskuit in Dosen
- 1/2 Tasse (125 ml) eingedickte Creme
- Cheesy Toast und Safran Mayonnaise (optional) zum Servieren

VORBEREITUNG

1. In einem großen Topf das Öl bei mittlerer Hitze erhitzen. Unter regelmäßigem Rühren 2-3 Minuten kochen lassen oder bis Zwiebel und Lauch weich werden. Meeresfrüchte, Fenchel, Tomate, Knoblauch und Petersilie 2 Minuten einrühren. Lorbeerblätter, Orangenschale und Tomatenmark einrühren, dann den Fischvorrat einfüllen. Bei starker Hitze zum Kochen bringen, dann auf niedrige Hitze reduzieren und 30 Minuten kochen lassen oder bis die Fischfilets zusammengebrochen sind. Um den Geschmack zu entfernen, durch ein Sieb passieren, wenn Sie auf die Feststoffe drücken.

2. Bringen Sie die Brühe mit der Fischsuppe oder Hummerbiskuitcreme wieder in die Pfanne und kochen Sie sie 10 Minuten lang bei mittlerer Hitze, bis sie leicht reduziert ist. Rühren Sie die Milch ein, kochen Sie sie dann 1 Minute lang oder bis sie vollständig erhitzt ist. Würzen, dann in warme Schalen schöpfen, mit zusätzlicher Petersilie, Toast und Mayonnaise belegen, falls gewünscht.

Pfannengebratener Fisch mit Kräutersauce

Portionen: 4

ZUTATEN

- 1 große Zitrone
- 3 Knoblauchzehen, in Scheiben geschnitten
- 1 Tasse flache Petersilienblätter, zerrissen
- Jeweils 12 Minz- und Basilikumblätter, zerrissen
- 1/4 Tasse Oreganoblätter
- 1/3 Tasse (80 ml) natives Olivenöl extra
- 4 x 180 g weiße Fischfilets mit Haut (z. B. Blue Eye oder Snapper)
- Knuspriges Brot zum Servieren

VORBEREITUNG

1. Heizen Sie den Ofen auf 180 Grad Celsius vor. Schälen Sie mit einem Schäler die Zitronenschale und achten Sie darauf, dass Sie nichts von dem weißen Mark nehmen. Drücken Sie in einer Wanne den Zitronensaft aus. Knoblauch, Gewürze und die Hälfte des Öls in die Pfanne geben. Nach dem Würzen beiseite stellen.

2. In einer ofenfesten Pfanne das restliche Öl bei mittlerer bis hoher Hitze erhitzen. 30 Sekunden Zitronenschale braten Den Fisch würzen und mit der Haut nach unten in die Pfanne geben. Bei mittlerer Hitze 3-4 Minuten kochen lassen, bis die Haut knusprig ist und das Fleisch an den Rändern weiß geworden ist. Heizen Sie den Ofen auf 350 ° F vor und backen Sie die Pfanne 5 Minuten lang oder bis der Fisch gerade durchgekocht ist. Stellen Sie die Pfanne wieder in eine Umgebung mit niedriger Hitze, gießen Sie die Kräutermischung hinein und erhitzen Sie sie durch. Fisch sollte mit knusprigem Brot serviert werden.

PROVENZKÖNIGFISCH

S.

Portionen: 4

ZUTATEN

- 4 x 180g Kingfish Filets mit Haut auf
- 1 1/2 Esslöffel Olivenöl
- 2 Knoblauchzehen, fein gehackt
- Geriebene Schale von 1 Zitrone
- 600 g reife Tomaten, Samen entfernt, gehackt
- 2 Sardellenfilets in Öl, abtropfen lassen, gehackt
- 2 Esslöffel Kapern, gespült, abgetropft
- 2 Teelöffel Rotweinessig
- 1 Teelöffel Puderzucker
- 50 g entkernte Kalamata-Oliven
- 2 Esslöffel flache Petersilienblätter
- 2 Tassen Babyspinat oder Rucola

VORBEREITUNG

1. Den Ofen auf 350 ° F vorheizen und den Königsfisch mit Salz und Pfeffer würzen.

2. In einer Pfanne mit mittlerer bis hoher Hitze 2 Teelöffel Öl erhitzen. 3 Minuten mit der Haut nach unten kochen, dann wenden und weitere 3 Minuten kochen lassen oder bis der Fisch durchgekocht ist. Auf einen Teller legen und mit Folie abdecken, um sich bei der Zubereitung der Sauce warm zu halten.

3. In derselben Pfanne das restliche Öl bei schwacher Hitze erhitzen. Knoblauch, Zitronenschale und eine Prise Salz und Pfeffer 2-3 Minuten einrühren oder bis sie weich, aber nicht gebräunt sind. Tomaten, Sardellen, Kapern, Essig und Zucker hineingeben und teilweise abdecken. 3-4 Minuten kochen lassen oder bis die Tomate weich geworden ist. Fügen Sie die Oliven und Petersilie hinzu und mischen Sie gut ..

FISHCAKES MIT PEA CRUSH

S.

Portionen: 4

ZUTATEN

- 1 Tasse Kartoffelpüree (2 große Kartoffeln)
- 210g können rosa Lachs, abgetropft, Haut und Knochen weggeworfen werden
- 210g Dose Thunfisch in Öl abtropfen lassen
- 1 kleine Zwiebel, fein gehackt
- 1 Knoblauchzehe, fein gehackt
- 1 Esslöffel Dijon-Senf
- Geriebene Zitronenschale plus Keile zum Auspressen
- 2 Esslöffel fein gehackte Petersilie
- 2 Eier
- 1/2 Tasse (125 ml) Milch
- 1 Tasse (150 g) Mehl

- 200 g Panko-Semmelbrösel
- Sonnenblumenöl zum Flachbraten
- 3 Tassen (360 g) gefrorene Erbsen
- 30 g ungesalzene Butter

VORBEREITUNG

1. In einer Rührschüssel Kartoffel, Lachs, Thunfisch, Zwiebel, Knoblauch, Senf, Zitronenschale, Petersilie und eine Prise Salz und Pfeffer vermischen. Formen Sie die Mischung mit Ihren Händen zu 12 kleinen Stämmen von jeweils etwa 6 cm Länge. Zum Festigen 20 Minuten kalt stellen.

2. In einer kleinen Tasse die Eier und die Milch verquirlen. Das Mehl mit Salz und Pfeffer in einer separaten Schüssel würzen. Positionieren Sie die Semmelbrösel in einer separaten Schüssel. Um die Fischfrikadellen zu beschichten, tauchen Sie sie zuerst in Mehl, dann in die Eimischung und schließlich in Semmelbrösel.

3. In einer Pfanne mit mittlerer bis hoher Hitze 3 cm Sonnenblumenöl erhitzen. Braten Sie die Fischfrikadellen in Chargen 3-4 Minuten lang flach und drehen Sie sie einmal, bis sie knusprig und goldbraun sind.

4. In der Zwischenzeit die Erbsen 5 Minuten lang oder bis sie weich sind in Salzwasser kochen. Nach dem Abtropfen mit der Butter in die Pfanne zurückkehren. Mit Salz und Pfeffer würzen und mit einem Kartoffelstampfer vorsichtig zerdrücken.

5.Servieren Sie die Fischfrikadellen mit Zitronenhälften und zerkleinerten Erbsen.

THAI FISH AND PUMPKIN SOUP

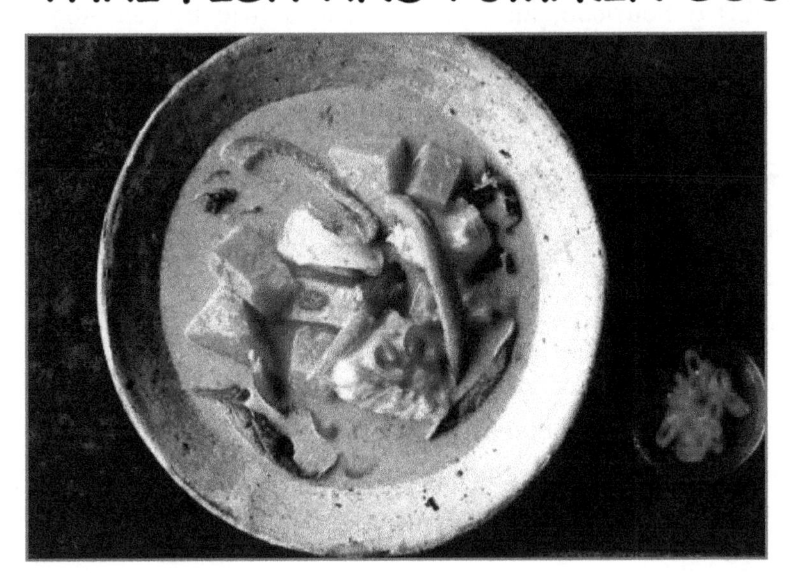

S.

Portionen: 4

ZUTATEN

- 1 Esslöffel Sonnenblumenöl
- 3 Esslöffel thailändische rote Curry-Paste
- 200 ml leichte Kokosmilch
- 3 Tassen (750 ml) salzreduzierte Hühner- oder Fischbrühe
- 4 asiatische (rote) Eschalots, dünn geschnitten
- 1 lange rote Chili, in dünne Scheiben geschnitten
- 2 Kaffirlimettenblätter, fein zerkleinert (optional)
- 250 g Kürbis, geschält, in 2 cm große Stücke geschnitten
- 1 grüner Paprika, in Streifen geschnitten
- 2 Esslöffel Tamarindenpüree
- 2 Esslöffel Fischsauce

- 1 Esslöffel brauner Zucker
- 600 g hautlose, klobige Fischfilets (wie blaues Auge, Leng oder Schnapper), in 3 cm große Stücke geschnitten
- 100 g Baby-Spinatblätter

VORBEREITUNG

1. In einem Topf das Öl bei mittlerer bis hoher Hitze erhitzen. Unter ständigem Rühren 2 Minuten kochen lassen oder bis es duftet.

2.Mischen Sie in einer großen Rührschüssel die Blätter aus Kokosmilch, Brühe, Eschalot, Chili und Kaffirlimette, falls verwendet. 20 Minuten kochen lassen oder bis der Kürbis zart ist, mit Kürbis, Paprika, Tamarinde, Fischsauce, Zucker und einer Prise Salz.

3. Fügen Sie den Fisch hinzu und kochen Sie ihn 5 Minuten lang oder bis er undurchsichtig ist.

4. Die Hälfte des Spinats mit Fisch und Gemüse in vier warme Schalen geben. Den restlichen Spinat darüber streuen, dann mit der Sauce beträufeln und servieren.

FISCH IM ASIATISCHEN STIL, GEBACKEN IN EINEM BANANENBLATT

Portionen: 2

ZUTATEN

- 1 großes frisches Bananenblatt (siehe Anmerkungen)
- 800 g ganzer Schnapper (oder roter Kaiser), gereinigt
- 1 Esslöffel Thai Red Curry Paste oder Laksa Paste
- 2 Esslöffel Kokoscreme (verwenden Sie die dicke Sahne von der Oberseite einer Dose Kokosmilch)
- 2 Esslöffel fein zerkleinerter Ingwer
- 8 Kaffirlimettenblätter, dünn zerkleinert (siehe Anmerkungen)
- 2 Esslöffel Korianderzweige
- 1 lange rote Chili, schräg geschnitten

- 2 Tassen gedämpfter weißer mittelkörniger Reis zum Servieren
- DRESSING
- 3 Scheiben frische Limette oder Zitrone
- 2 Esslöffel Fischsauce
- 1/4 Tasse (60 ml) Limettensaft
- 2 Esslöffel süße Chilisauce

VORBEREITUNG

1. Den Ofen auf 180 Grad vorheizen. Waschen Sie das Bananenblatt und schneiden Sie es gerade so weit ab, dass es den Fisch umhüllt.

2. Legen Sie ein Folienquadrat auf das Bananenblatt, das etwas größer als der Fisch ist, und legen Sie den Fisch darauf. Machen Sie im dicksten Teil des Fleisches zwei Schrägstriche. Den Fisch mit Curry-Paste bestreichen und mit Kokoscreme bedecken. Mit Ingwer und Limettenblättern bestreuen, dann den Fisch in das Blatt, den Kopf und den Schwanz an den gegenüberliegenden Enden der Röhre wickeln und mit einer Küchenschnur zusammenbinden.

3. Legen Sie das Paket in eine Bratpfanne und backen Sie es 40 Minuten lang oder bis es gar ist (öffnen Sie das Blatt und führen Sie ein Messer entlang des Rückgrats, um dies zu überprüfen). Es ist getan, wenn sich das Fleisch schnell vom Knochen löst.)

4. In der Zwischenzeit das Dressing zubereiten, indem Sie die Limette in kleine Stücke schneiden und mit der Fischsauce, dem Limettensaft und der süßen Chilisauce kombinieren.

5.Wenn gewünscht, legen Sie das Bananenblatt auf eine Platte mit frischem Bananenblatt. Mit Reis und einem Schuss Dressing servieren, garniert mit Koriander und Chili.

SONNTAGSBRATENFISCH

S.

Portionen: 4

ZUTATEN

- 1 Bund Baby (holländische) Karotten, geschält
- 4 kleine Pastinaken, geschält, halbiert
- 8 Knoblauchzehen (ungeschält)
- 4 Rosmarinzweige plus extra gehackter Rosmarin (oder Petersilie) zum Servieren
- 2 Esslöffel Olivenöl
- 100 g kleine Shiitake-Pilze, geschnitten
- 4 x 200 g blaue Augenfilets (oder andere feste weiße Fische)
- 16 Baby Rosenkohl (oder 8 kleine), halbiert, 2 Minuten blanchiert
- 2 Esslöffel Balsamico-Essig (optional)

VORBEREITUNG

1. Den Ofen auf 200 Grad vorheizen.

2. In einer Bratpfanne Karotten, Pastinaken, Knoblauch und 4 Rosmarinzweige anrichten, dann mit 1 Esslöffel Öl beträufeln und würzen. Alles gut vermischen und 20-25 Minuten backen.

3. Fügen Sie die Pilze in die Pfanne und werfen Sie sie erneut mit 1 Esslöffel Öl. 15 Minuten backen oder bis das Gemüse goldbraun und fast zart ist, ein- oder zweimal wenden.

4. In der Zwischenzeit eine fein geölte Pfanne bei starker Hitze vorheizen. Den Fisch 1-2 Minuten mit der Haut nach unten kochen, bis er goldgelb und knusprig ist. Würzen Sie den Fisch und legen Sie ihn mit der Haut nach oben in eine Bratpfanne. Bringen Sie die Sprossen an und backen Sie sie 6-8 Minuten lang oder bis der Fisch fertig ist.

5. Zum Essen den gebackenen Rosmarin wegwerfen und den Fisch, das Gemüse und den Knoblauch auf warme Teller verteilen. Bei Bedarf mit Balsamico-Essig beträufeln und mit gehacktem Rosmarin oder Petersilie belegen. Der Knoblauch sollte warm und bereit sein, in die Säfte des Tellers gepresst zu werden.

FISCH UND PRAWN TAGINE MIT APRIKOSEN

Portionen: 4

ZUTATEN

- 100 g getrocknete Aprikosen
- 400g können Kirschtomaten
- 1 Teelöffel gemahlener Kreuzkümmel
- Je 1/2 Teelöffel Kurkuma und Paprika
- 2 Zimtfedern
- 600 g hautlose Mahi Mahi- oder Schwertfischfilets, in 2-3 cm große Würfel geschnitten
- 8 grüne Garnelen, geschält (Schwänze intakt), entdarmt
- 1 Tasse (200 g) Couscous
- 2 Esslöffel flache Petersilienblätter
- 4 Zitronenschnitze

VORBEREITUNG

1.Um die Aprikosen einzuweichen, legen Sie sie in eine kleine Schüssel, bedecken Sie sie mit 200 ml kochendem Wasser und legen Sie sie 30 Minuten lang beiseite.

2. Eine Pfanne bei mittlerer Hitze vorheizen und die Tomaten hinzufügen. Kreuzkümmel, Kurkuma, Paprika und Zimt können jetzt hinzugefügt werden. Nach Geschmack würzen. Die Aprikosen und ihre Einweichflüssigkeit einrühren und bei mittlerer Hitze zum Kochen bringen.

3.Fischen Sie den Fisch und die Garnelen hinzu und kochen Sie sie 5-10 Minuten bei mittlerer Hitze, bis die Brühe suppig ist und der Fisch und die Garnelen durchgegart sind.

4. In der Zwischenzeit 1 Tasse (250 ml) kochendes Wasser in einer Wanne über den Couscous gießen. Abdecken und 5 Minuten beiseite stellen, dann mit einer Gabel schaumig schlagen und mit Salz und Pfeffer abschmecken.

5. Werfen Sie die Meeresfrüchte und die Suppe in Schalen, geben Sie Couscous und Petersilie darauf und garnieren Sie sie mit Zitronenschnitzen.

SEAFOOD ESPETADA (PORTUGIESISCHE SKEWERS)

Portionen: 4

ZUTATEN

- 2 Knoblauchzehen, fein gehackt
- 2 lange rote Chilischoten, Samen entfernt, fein gehackt
- 2 TL gemahlener Ingwer
- 3 TL süßer Paprika
- 2 TL getrockneter Oregano
- 1/3 Tasse (80 ml) Olivenöl plus extra zum Bürsten
- 4 Limetten, in Keile geschnitten
- 24 Garnelen, geschält (Schwänze intakt), entdarmt
- 300 g Tintenfischröhrchen, in 3 cm große Streifen schneiden
- 400 g Schwertfischfilets, in 3 cm große Stücke geschnitten

- 4 Maiskolben
- Flache Petersilienblätter zum Servieren

VORBEREITUNG

1. Bereiten Sie einen Grill oder einen Grill auf hohe Hitze vor.

2.Um die Marinade zuzubereiten, kombinieren Sie Knoblauch, Chili, Ingwer, Paprika, Oregano und Öl in einer Rührschüssel und würzen Sie sie mit Salz und Pfeffer.

3.Um die Spieße zu machen, fädeln Sie 1 Limettenkeil, 1 Garnele, 1 Tintenfischscheibe und 1 Schwertfischstück auf einen Spieß und wiederholen Sie den Vorgang. Wiederholen Sie mit dem Rest der Spieße, dann bedecken Sie mit der Marinade.

4.Bürsten Sie den Mais mit Öl und grillen Sie ihn 10 Minuten lang, wobei Sie ihn regelmäßig drehen, bis er Blasen bildet und weich ist.

5. Legen Sie es zur Seite. Bürsten Sie den Grill mit Öl und kochen Sie die Spieße auf jeder Seite 2-3 Minuten lang oder bis sie fertig sind.

6. Den Maiskolben abschneiden und mit den mit Petersilie garnierten Spießen servieren.

HOMESTYLE FISHCAKES MIT CAPER TARTARE

Portionen: 8

ZUTATEN

- 250 g geräuchertes Kabeljaufilet
- 250 g Kartoffelpüree (ca. 1 Tasse)
- 1 Zwiebel, gerieben
- 1 Knoblauchzehe, zerkleinert
- 2 EL gesalzene Kapern, gespült, plus 1 EL extra zum Braten
- 2 EL gehackte Petersilie sowie 6 kleine Zweige zum Braten
- 2 hart gekochte Eier, fein gehackt
- Prise Cayennepfeffer und Muskatnuss
- 2 EL Mehl, gewürzt
- 1 Ei, geschlagen mit 2 EL Milch

- 2 Tassen (140 g) frische Semmelbrösel
- Sonnenblumenöl zum Flachbraten
- CAPER TARTARE
- 2 EL gesalzene Kapern, gespült
- 1 EL Cornichons (kleine eingelegte Gurken), fein gehackt
- 6 Estragon- oder Petersilienblätter, gehackt
- 1 TL Dijon-Senf
- 2 TL Zitronensaft plus Keile zum Servieren
- 1/2 Tasse (140 ml) Creme Fraiche

VORBEREITUNG

1. Legen Sie den Fisch in eine Pfanne mit genügend Wasser, um ihn zu bedecken. Bei mittlerer Hitze 5 Minuten kochen lassen oder bis das Fleisch leicht abblättert. Den Fisch abtropfen lassen, das Fleisch abblättern und Haut und Knochen wegwerfen. Kombinieren Sie Kartoffeln, Zwiebeln, Knoblauch, Kapern, Petersilie, Ei und Gewürze in einer Rührschüssel. Mit Salz und Pfeffer würzen und zu 8 Fischfrikadellen formen.

2. Kombinieren Sie in drei flachen Pfannen das gewürzte Mehl, das geschlagene Ei und die Semmelbrösel. Die Fischfrikadellen sollten zuerst bemehlt, dann in Ei getaucht und schließlich mit Krümeln überzogen werden. Zum Festigen auf einen Teller legen und 30 Minuten kalt stellen.

3.Um das Tartar zuzubereiten, alle Zutaten in einer Rührschüssel vermischen und mit Salz und Pfeffer würzen. Kühl stellen, bis es benötigt wird.

4. In einer Pfanne 3 cm Öl bei mittlerer bis hoher Hitze erhitzen. Zusätzliche Kapern und Petersilienzweige sollten separat 30 Sekunden lang oder bis sie knusprig sind gebraten und dann auf Papiertüchern abgetropft werden.

5.Kochen Sie die Fischfrikadellen in zwei Chargen 2-3 Minuten lang auf jeder Seite, bis sie goldbraun sind. Mit Tatar und Zitronenschnitzen, gebratenen Kapern und Petersilie dazu servieren.

MACADAMIA-CRUSTED FISH MIT KRÄUTERSALAT

Portionen: 4

ZUTATEN

- 2 Tassen (300 g) ungesalzene Macadamias
- 1 Knoblauchzehe, gehackt
- Geriebene Schale und Saft von 1 Zitrone sowie Keile zum Servieren
- 2 Esslöffel natives Olivenöl extra
- Jeweils 1/2 Bund Petersilie und Schnittlauch
- 4 x 160 g hautlose Barramundi-Filets
- 50g gemischte Salatblätter zum Servieren

VORBEREITUNG

1. Den Backofen auf 200 ° C vorheizen und ein Backblech mit Pergamentpapier auslegen.

2. In einer kleinen Küchenmaschine die Nüsse, den Knoblauch, die Schale, die Hälfte des Safts und 1 Esslöffel Öl zu einer groben Paste verquirlen. Würzen und in eine Tasse geben. 2 Esslöffel Petersilie, 2 Esslöffel Schnittlauch, fein gehackt

3. Legen Sie den Fisch auf das Tablett und geben Sie die Nussmischung darauf. 15-20 Minuten backen oder bis der Fisch undurchsichtig und die Kruste golden ist.

4.Nehmen Sie die restlichen Petersilienblätter auf und schneiden Sie den Schnittlauch in zwei Hälften. Salatblätter, restliches Öl und Zitronensaft in einer Rührschüssel vermischen. Nach Geschmack würzen, dann mit Zitronenschnitzen und Fisch servieren.

GEBRATENER KÖNIGFISCH MIT KOHL UND SPECK

Portionen: 4

ZUTATEN

- 25 g ungesalzene Butter
- 1/4 Tasse (60 ml) Olivenöl
- 4 Speckstreifen, gehackt
- 1/4 Tasse (60 ml) trockener Weißwein
- 1 1/2 Tassen (375 ml) Hühnerbrühe, erhitzt
- 1/4 großer Wirsing, fein zerkleinert
- 2 Thymianzweige plus extra zum Garnieren
- 4 x 150 g hautlose Kingfish-Filets
- Kartoffelpüree zum Servieren

VORBEREITUNG

1. In einer Pfanne bei mittlerer Hitze Butter mit 1 Esslöffel Öl schmelzen. 5-6 Minuten unter regelmäßigem Rühren, bis der Speck weich golden ist. Nach dem Hinzufügen von Wein und Brühe 2-3 Minuten köcheln lassen, dann Kohl und Thymian hinzufügen. Bedeckt 8-10 Minuten kochen lassen oder bis das Gemüse weich ist. Es ist diese Jahreszeit.

2. In einer separaten Pfanne die restlichen 2 Esslöffel Öl erhitzen. Würzen Sie den Fisch mit Salz und Pfeffer und kochen Sie ihn auf jeder Seite 2-3 Minuten lang oder bis er gar ist. Mit Kartoffelpüree und Kohl servieren. Mit Thymian als Beilage servieren.

JOGHURT-MARINIERTER FISCH IN ZUCCHINI

Portionen: 4

ZUTATEN

- 500 g dicker Joghurt nach griechischer Art
- 1/2 Bund Minze, Blätter gepflückt, grob gehackt
- 1 TL getrocknete Chiliflocken
- Fein geriebene Schale von 1 Zitrone und Saft von 2 Zitronen sowie zusätzliche Keile zum Servieren
- 4 x 200 g hautlose, feste weiße Fischfilets (z. B. blaue Augen)
- 2-3 lange Zucchini, in 2 mm dicke Bänder geschnitten (ein Mandolinen- oder Gemüseschäler ist ideal)
- 2 EL Olivenöl

- Grob gehackte flache Petersilie zum Servieren

VORBEREITUNG

1.Joghurt, Minze, Chiliflocken, Zitronenschale und Saft in einer kleinen Küchenmaschine mischen und glatt rühren. Es ist diese Jahreszeit.

2. Legen Sie die Fischfilets in eine flache Glasschüssel. Die Hälfte der Joghurtmarinade sollte über den Fisch gegossen und mit einem Löffelrücken bestrichen werden. Nach dem Abdecken der Schüssel mit Plastikfolie 10 Minuten im Kühlschrank lagern.

3.Um Zucchinischeiben zu erweichen, mit Salz abschmecken und 1-2 Minuten ruhen lassen.

4. Nehmen Sie eines der Fischfilets aus der Marinade. Legen Sie 6-8 Zucchinischeiben leicht überlappend auf den Fisch und stecken Sie die Enden darunter. Wiederholen Sie mit den restlichen Zucchini und Fischfilets.

5. Den Ofen auf 200 Grad vorheizen.

6.Schneiden Sie vier 30 cm x 40 cm große Backpapierrechtecke. Falten Sie eines der Rechtecke in zwei Hälften. Ein Stück Fisch sollte beim Öffnen des Beutels in die Mitte entlang der Falte gelegt werden. 1 EL Olivenöl über den Fisch und 1 EL Marinade träufeln. Es ist diese Jahreszeit. Falten Sie das Papier über den Fisch in zwei Hälften und schneiden Sie die offenen Kanten mit einer Schere in einen Halbkreis. Zum festen Schließen in Abständen von 1 cm bis 2 cm crimpen und dabei feste Falten bilden. Um die Enden zu sichern, drehen Sie sie zusammen und legen Sie sie auf ein Backblech. Wiederholen Sie mit dem Rest des Fisches und des Papiers.

7. 8-10 Minuten kochen lassen oder bis sie goldbraun und aufgeblasen sind. Lassen Sie die Pakete 2-3 Minuten ruhen, nachdem Sie das Tablett aus dem Ofen genommen haben.

8. Montieren Sie die Pakete auf Serviertellern. Den Fisch vorsichtig mit einer Schere aufschneiden, dann mit Petersilie bestreuen und mit Zitronenschnitzen servieren.

MINI FISH PIES

Portionen: 4

ZUTATEN

- 1 Tasse (250 ml) Weißwein
- 1 EL fein gehackter Dill, Stiele reserviert
- 1 EL fein gehackter Estragon, Stiele reserviert
- 1 EL fein gehackte flache Petersilie, Stiele reserviert
- 1 Lauch, dünn geschnitten
- 3 Eschalots, dünn geschnitten
- 250 g hautloses Lachsfilet, in 4 cm große Stücke geschnitten.
- 250 g grüne Garnelen, geschält, entdarmt
- 8 Jakobsmuscheln, Rogen entfernt, halbiert
- 25 g Mehl
- 250 g ungesalzene Butter, erweicht

- 300 ml reine (dünne) Creme
- 1 kg King Edward Kartoffeln, geschält, gehackt
- 100 ml Milch
- 2 Eigelb
- Salatblätter zum Servieren

VORBEREITUNG

1. Den Ofen auf 180 Grad vorheizen.

2.Mischen Sie in einer großen Pfanne bei mittlerer Hitze den Wein und 1 Tasse (250 ml) Wasser. 1 Teelöffel grob gemahlener schwarzer Pfeffer, Kräuterhalme, Lauch und Eschalot Zum Kochen bringen, dann auf niedrige Hitze reduzieren und 2 Minuten kochen lassen oder bis die Aromen aufgegossen sind.

3. Fügen Sie den Lachs hinzu und kochen Sie ihn 2 Minuten lang. Noch eine Minute kochen lassen oder bis die Garnelen und Jakobsmuscheln gerade anfangen, ihre Farbe zu ändern. Entfernen Sie die Meeresfrüchte mit einem geschlitzten Löffel und geben Sie sie in eine saubere Tasse. Aus der Gleichung streichen.

4. Mehl und 25 g Butter in einer kleinen Tasse mischen. Bringen Sie die Brühe wieder auf mittlere bis niedrige Hitze, nachdem Sie die Kräuterstängel aus der Pfanne genommen haben. Zum Kochen bringen, dann jeweils 1 Esslöffel der Buttermischung hinzufügen und mit jeder Zugabe verquirlen. Mit Salz und Pfeffer würzen und unter ständigem Rühren 3 Minuten kochen lassen oder bis die Sauce eingedickt ist. Nach Zugabe der Milch weitere 2 Minuten kochen lassen. Lassen Sie Zeit zum Abkühlen.

5. In einem großen Topf mit kaltem Salzwasser die Kartoffel positionieren. Zum Kochen bringen, dann auf niedrige Hitze reduzieren und 12-15 Minuten kochen lassen oder bis die

Kartoffeln weich sind. Abtropfen lassen und mit einem Kartoffelstampfer glatt durch eine Kartoffelpresse oder einen Brei laufen lassen, bis alles glatt ist. Die restlichen 225 g Butter untermischen, solange die Kartoffel noch süß ist. Mit Salz und Pfeffer würzen und Milch und Eigelb beiseite stellen.

6.Falten Sie in einer 350-ml-Auflaufform die Meeresfrüchte und gehackten Kräuter in die abgekühlte Sauce. 15-20 Minuten kochen lassen, bis die Kartoffel sprudelt und golden ist. Nehmen Sie die Schüssel aus dem Ofen und belegen Sie sie mit Salatblättern.

Jakobsmuschel und konservierte Zitrone SQUID-INK LINGUINI

Portionen: 2

ZUTATEN

- 200 g Tintenfisch oder normale Linguini
- 2 EL Olivenöl
- 10 Jakobsmuscheln, Rogen entfernt
- 2 Knoblauchzehen, dünn geschnitten
- 1 lange rote Chili, Samen entfernt, in dünne Scheiben geschnitten
- 1 Tasse (250 ml) trockener Weißwein
- 20 g ungesalzene Butter
- 1/4 konservierte Zitrone, Mark und Fruchtfleisch entfernt, Schale in dünne Scheiben geschnitten

VORBEREITUNG

1.Kochen Sie die Nudeln gemäß den Anweisungen in der Packung in einem breiten Topf mit leicht gesalzenem kochendem Wasser. Lass das Wasser ab.

2. In einer breiten Pfanne 1 Esslöffel Öl bei starker Hitze erhitzen. Jakobsmuscheln mit Salz und Pfeffer würzen, dann auf jeder Seite 1 Minute kochen lassen oder bis sie goldbraun und durchgegart sind. Entfernen Sie das Objekt und legen Sie es beiseite. 1 Esslöffel Öl in der Pfanne, dann Knoblauch und Chili unter ständigem Rühren 1 Minute lang oder bis sie goldbraun sind kochen. Erhöhen Sie die Hitze auf hoch und kochen Sie 5 Minuten lang oder bis die Flüssigkeit verdunstet ist. Nehmen Sie die Pfanne vom Herd und rühren Sie die Schale ein.

3. Stellen Sie die Pfanne wieder auf mittlere Hitze und fügen Sie die Nudeln hinzu. Rühren Sie die Jakobsmuscheln ein, nachdem Sie sie vorsichtig gemischt haben. Nach Geschmack abschmecken und servieren.

SAUTEED SCALLOPS MIT JALAPEÑO DRESSING

Portionen: 4

ZUTATEN

- 1 frische Jalapeño-Chili, Samen entfernt, fein gehackt
- 1/2 kleine rote Zwiebel, fein gehackt
- 1 EL Traubenkernöl
- 1 TL natives Olivenöl extra
- 1/4 Tasse (60 ml) Zitronen- oder Limettensaft
- 12 Jakobsmuscheln auf der Halbschale, Orangenrogen entfernt
- 2 EL Olivenöl
- 10 g ungesalzene Butter
- JALAPEÑO DRESSING (MACHT 100ML)

- 4 kleine (50 g) Jalapeño-Chilischoten, Samen entfernt, grob gehackt
- 1 kleine Knoblauchzehe, gehackt
- 50 ml Reisessig
- 2 1/2 EL (50 ml) Olivenöl

VORBEREITUNG

1. In einer Rührschüssel Jalapeo, Zwiebel, Traubenkernöl, Olivenöl extra vergine, Zitronensaft und 1/2 Teelöffel Salz vermischen. Die Jalapeo-Salsa beiseite stellen.

2.Um das Jalapeo-Dressing zuzubereiten, pürieren Sie Jalapeo, Knoblauch, Essig und 1 1/2 Teelöffel Salz in einem Stabmixer, bis es glatt ist. Das Olivenöl nach und nach in die Mischung einarbeiten und durch ein Sieb passieren. Legen Sie den Verband beiseite.

3. Nehmen Sie die Jakobsmuscheln aus den Schalen und legen Sie sie beiseite. Jakobsmuscheln sollten mit einem Papiertuch gereinigt und getrocknet werden.

4. In einer breiten Pfanne das Öl bei starker Hitze erhitzen. Die Jakobsmuscheln mit Salz und Pfeffer würzen. Kochen Sie die Jakobsmuscheln an jeder Hand 1 1/2 Minuten lang oder bis sie in der Mitte goldgelb und durchscheinend sind. Um die Jakobsmuscheln zu glasieren, tragen Sie die Butter für die letzten 30 Sekunden des Kochens auf.

5. Zum Servieren das Jalapeo-Dressing auf die Jakobsmuschelschalen verteilen, jeweils mit einer Jakobsmuschel belegen und mit der Salsa abschließen.

Jakobsmuschel und Seidentopu mit Soja und Wasabi BUTTER

Portionen: 4

ZUTATEN

- 8 Jakobsmuscheln in der Halbschale, Rogen entfernt
- 300 g seidenfester Tofu, abgetropft
- 100 g ungesalzene Butter
- 3 Knoblauchzehen, fein gehackt
- 1 TL Wasabipaste
- 1 TL Puderzucker
- 2 EL Sojasauce
- 1 Körbchen Senfkresse

VORBEREITUNG

1. Den Ofen auf 160 Grad vorheizen. Jakobsmuscheln und Tofu sollten in kleine, gleich große Würfel geschnitten werden.

Jakobsmuschelschalen sollten auf eine 2 gelegt werden. In einem Topf die Butter bei mittlerer Hitze 2 1/2 Minuten lang schmelzen lassen oder bis sie braun ist. Vom Herd nehmen und zur Seite stellen, um etwas abzukühlen. Knoblauch, Wasabi, Zucker und Sojasauce verquirlen.

3. Den Ofen 4 Minuten lang auf 400 ° F vorheizen oder bis Jakobsmuscheln und Tofu warm sind. Zum Essen mit Sauce beträufeln und mit Senfkresse belegen.

MATT MORAN'S GRILLED HERVEY BAY SCALLOPS MIT TOGARASHI & CHILLI SYRUP DRESSING

Portionen: 4

ZUTATEN

- 1/2 TL Maismehl
- 1/4 Tasse (55 g) Puderzucker
- 1 lange rote Chili, Samen entfernt, fein gehackt
- 1/3 Tasse (80 ml) Reisessig
- 1 TL geriebener Ingwer
- 2 Prisen Shichimi Tgarashi (japanische Gewürzmischung aus Salz, Chili, schwarzem Pfeffer, Sesam, getrockneter Orangenschale, Mohn und Nori)
- 16 Hervey Bay Jakobsmuscheln, Rogen entfernt
- 1 EL Olivenöl

- Mikrokresse, um zu dienen

VORBEREITUNG

1.Mischen Sie in einer Rührschüssel das Maismehl und 2 TL kaltes Wasser. Aus der Gleichung streichen.

2. In einem kleinen Topf bei mittlerer Hitze Zucker, Chili und 2 Esslöffel Wasser vermischen. Zum Kochen bringen, dann auf niedrige Hitze reduzieren und 1 Minute kochen lassen. Nach Zugabe der Maismehlmischung noch 1 Minute kochen lassen oder bis sie leicht eingedickt ist. Nehmen Sie die Pfanne vom Herd und verquirlen Sie Essig, Ingwer und Tgarashi. Vor dem Servieren abkühlen lassen.

3. In einer breiten Pfanne das Öl bei starker Hitze erhitzen. Jakobsmuscheln mit Salz und Pfeffer würzen, nachdem sie in das Öl geworfen wurden. Jakobsmuscheln auf jeder Seite 30 Sekunden lang in Chargen anbraten oder bis sie karamellisiert, aber in der Mitte undurchsichtig sind.

4.Servieren Sie, indem Sie Togarashi und Chilisirup über Jakobsmuscheln träufeln und die Mikrokresse darüber streuen.

SEARED SCALLOPS MIT CREME FRAICHE UND WASABI CRUNCH

Portionen: 4

ZUTATEN

- 1/4 Tasse (60 g) Creme Fraiche
- 1 EL fein gehackter Schnittlauch
- 1 EL fein gehackter Dill
- Fein geriebene Schale von 1 Limette
- 2 TL Reisessig
- 2 EL Erdnuss- oder Sonnenblumenöl plus extra zum Bürsten
- 2 EL Tamari
- 20 Jakobsmuscheln, Rogen entfernt
- 1/4 Tasse (25 g) Wasabi-Erbsen, leicht zerkleinert
- Mikrokräuter zum Servieren

VORBEREITUNG

1. Kombinieren Sie die Creme Fraiche, Schnittlauch, Dill, Limettenschale und Reisessig in einer Rührschüssel. Mit Salz und Pfeffer würzen und beiseite stellen.

2. Kombinieren Sie das Öl und Tamari in einer Rührschüssel. Aus der Gleichung streichen. Eine Pfanne bei starker Hitze vorheizen. Jakobsmuscheln mit Salz und Pfeffer würzen, nachdem sie mit Öl bestrichen wurden. Kochen Sie Jakobsmuscheln auf jeder Seite 30 Sekunden lang oder bis sie goldbraun, aber in der Mitte noch durchscheinend sind.

3. Zum Servieren einen Tropfen Crème Fraiche auf jeden Servierteller geben und mit Jakobsmuscheln belegen. Mit Tamari-Dressing beträufeln und zum Schluss Wasabi-Erbsen und Mikrokräuter hinzufügen.

SCALLOP TARTARE

S.

Portionen: 4

ZUTATEN

- Fein geriebene Zitronenschale von 1/2
- 1 EL Reisweinessig
- 2 TL Sojasauce
- 1 TL Fischsauce und Sesamöl
- 2 EL Sonnenblumenöl
- 8 große Jakobsmuscheln, horizontal in dünne Scheiben geschnitten
- Fein geriebene Schale von 1 Limette
- Gemischte Kräuter zum Servieren

VORBEREITUNG

1. Den Ofen auf 100 Grad vorheizen. Auf einem Backblech die Schale und 1 EL Meersalz verteilen, dann 12-15 Minuten unter 2-3-maligem Rühren braten, bis sie trocken sind. Um ein grobes Pulver zu rendern, gehen Sie zu einem Mörser und Stößel.

2. In einer Rührschüssel Essig, Sojasauce, Fischsauce und Öle vermischen. Aus der Gleichung streichen.

3. Montieren Sie die Jakobsmuscheln auf den Schalen. Nach dem Auftragen von Limettenschale und einer Prise Zitronen-Meersalz mit Soja-Dressing beträufeln. Mit Gewürzen bestreuen, mit Salz und Pfeffer würzen und servieren.

TEQUILA-SPIKED SCALLOP CEVICHE

Portionen: 4

ZUTATEN

- 1/4 Baguette, dünn geschnitten
- 1/4 Tasse (60 ml) natives Olivenöl extra plus extra zum Bürsten
- 12 große Jakobsmuscheln, Rogen entfernt, in 1 cm große Stücke geschnitten
- 1/4 Tasse (60 ml) Tequila
- 1/4 Tasse (60 ml) Limettensaft
- 1/2 rote Zwiebel, fein gehackt
- 1 Tomate, Samen entfernt, grob gehackt
- 1 lange rote Chili, Samen entfernt, fein gehackt

- 1 libanesische Gurke, Samen entfernt, grob gehackt
- 1/2 Bund Koriander, Blätter grob gehackt

VORBEREITUNG

1. Den Ofen auf 170 Grad vorheizen. Die Baguettescheiben mit Öl bestreichen, dann auf ein Backblech legen und ca. 10-12 Minuten goldgelb und knusprig backen. Vor dem Servieren abkühlen lassen.

2. In der Zwischenzeit die Jakobsmuscheln mit Tequila und Limettensaft in eine Schüssel geben. Warten Sie 10 Minuten, bis die Limettensaftsäure die Jakobsmuscheln „erwärmt". Die Flüssigkeit abtropfen lassen und 2 Teelöffel aufbewahren.

3. In einer Rührschüssel die Jakobsmuscheln, die reservierte Sauce, die Zwiebel, die Tomate, den Chili, die Gurke, den Koriander und das restliche 1/4 Tasse (60 ml) Olivenöl vorsichtig mischen. Mit den Toasts servieren.

TEQUILA SCALLOP CEVICHE

S.

Portionen: 4

ZUTATEN

- Saft von 4 Limetten
- 1 lange grüne Chili, Samen entfernt, fein gehackt
- 1 Teelöffel Fischsauce
- 2 1/2 Esslöffel brauner Zucker
- 1 libanesische Gurke, Samen entfernt, fein gehackt
- 2 Esslöffel Tequila
- 16 Jakobsmuscheln, Rogen entfernt, in dünne Scheiben geschnitten
- 2 Eschalots, fein gehackt
- 2 Tomaten, Samen entfernt, fein gehackt
- 1/2 Avocado, fein gehackt

- Mikrokoriander oder Mikrokresse (siehe Hinweise) zum Servieren

VORBEREITUNG

1. In einer Küchenmaschine Limettensaft, Chili, Fischsauce, Zucker, ein Viertel der Gurke und 1 Teelöffel Salz glatt rühren. Nach dem Rühren im Tequila mit Salz und Pfeffer würzen. Decken Sie es ab und kühlen Sie es 30 Minuten lang, damit die Aromen hineingegossen werden können. Stellen Sie es dann in eine nicht reaktive Schüssel mit Jakobsmuschel und Eschalot.

2.Menschen Sie die Ceviche auf Serviertellern. Mit den restlichen Gurken, Zwiebeln, Avocados und Mikrokräutern servieren.

CARAMELISED SCALLOP MIANG (BETEL VERLÄSST)

Portionen: 20

ZUTATEN

- 2/3 Tasse (50 g) Kokosraspeln, geröstet
- 1/2 Tasse (75 g) geröstete Erdnüsse, zerkleinert
- 2 Esslöffel Chilibohnenpaste oder Chilimarmelade (siehe Anmerkungen)
- 1 1/2 Esslöffel Fischsauce
- 2 Esslöffel Palmzucker oder brauner Zucker
- 1/4 Tasse (75 g) süße Chilisauce
- 2 Esslöffel Limettensaft
- Erdnussöl oder Reiskleieöl zum Bürsten
- 20 Jakobsmuscheln, Rogen entfernt

- 20 Betelblätter (siehe Anmerkungen)
- Gebratene asiatische Schalotten (siehe Anmerkungen), Korianderblätter und fein zerkleinerte Kaffirlimettenblätter zum Servieren

VORBEREITUNG

1. Karamellisierte Jakobsmuscheln (Betelblätter). Panna Cotta mit Limette und Kokosnuss rechts.

2.Heizen Sie eine breite Pfanne bei mittlerer bis hoher Hitze und bürsten Sie sie mit etwas Öl. Würzen Sie die Jakobsmuscheln mit Salz und kochen Sie sie 30 Sekunden lang auf jeder Seite oder bis sie außen goldgelb und karamellisiert sind, in der Mitte aber noch undurchsichtig - fügen Sie bei Bedarf etwas mehr Öl hinzu.

3. 1 gehäuften Teelöffel Chilisauce auf jedes Betelblatt geben, mit einer Jakobsmuschel belegen und mit gebratenen asiatischen Schalotten, Koriander und einem Kaffirlimettenblatt abschließen. Sofort servieren.

Jakobsmuschel-Teere mit Karotten- und Kardamom-Püree

Portionen: 24

ZUTATEN

- 3 Karotten, gehackt
- 1/3 Tasse (80 ml) frischer Orangensaft
- Prise Safranfäden
- 6 Kardamomkapseln, leicht gequetscht
- 50 g ungesalzene Butter
- 100 g dicker Joghurt nach griechischer Art
- Schale und Saft von 1 Zitrone
- Jeweils 1/4 Tasse Sesam und Nigella-Samen
- 2 Esslöffel Ghee
- 24 Jakobsmuscheln (ohne Rogen)

- 24 x 4 cm vorgebackene Tortenschalen
- Korianderzweige zum Garnieren

VORBEREITUNG

1.Mischen Sie in einem Topf die Karotten, den Orangensaft, den Safran und den Kardamom mit ausreichend Wasser, um sie zu bedecken. Zum Kochen bringen, dann auf niedrige Hitze reduzieren und weitere 25 bis 30 Minuten kochen lassen oder bis die Karotten weich sind. Kardamomkapseln sollten abgelassen und weggeworfen werden. Lassen Sie die Karotten etwas abkühlen, bevor Sie sie mit Butter, Salz und Pfeffer in einer Küchenmaschine kombinieren. Nach dem Rühren in die Pfanne zurückkehren, um ein glattes Püree zu bilden. Halte dich nass.

2. In einer kleinen Rührschüssel Joghurt und Zitronensaft hinzufügen. Mit Salz und Pfeffer abschmecken und kalt stellen, bis es gebraucht wird.

3. In einer Rührschüssel die Samen mischen. Aus der Gleichung streichen.

4. In einer Pfanne bei mittlerer bis hoher Hitze das Ghee schmelzen. Jakobsmuscheln auf beiden Seiten mit Salz und Pfeffer würzen, dann auf jeder Seite 30 Sekunden lang in Chargen kochen oder bis sie anfangen, ihre Farbe zu ändern. In einer großen Rührschüssel die warmen Jakobsmuscheln mit der Samenmischung vermengen.

5.Gießen Sie einen gehäuften Teelöffel Püree in jede Tortenschale, geben Sie eine Jakobsmuschel und einen Spritzer Joghurtdressing darauf und beenden Sie den Vorgang mit Korianderzweigen und -schale.

SEARED SCALLOPS MIT SPECKSTAUB UND ZERquetschtem AVOCADO AUF TOAST

Portionen: 4

ZUTATEN

- 3 Speckstreifen
- 1 Teelöffel Koriandersamen, geröstet
- 2 lange rote Chilischoten, Samen entfernt
- 2 Avocados
- 1/4 rote Zwiebel, fein gehackt
- 1 Tomate, Samen entfernt, gehackt
- 1/2 Bund Koriander, gehackte Blätter
- 1 Esslöffel Limettensaft plus Keile zum Servieren
- 1 Esslöffel Olivenöl
- 12 Jakobsmuscheln ohne Rogen

- 4 Scheiben Sauerteigbrot, geröstet
- Mikrokräuter oder kleine Korianderblätter zum Servieren

VORBEREITUNG

1. Den Backofen auf 190 ° C vorheizen und ein Backblech mit Pergamentpapier auslegen. Legen Sie den Speck auf ein Backblech und backen Sie ihn 15 bis 20 Minuten lang oder bis er knusprig und trocken ist. Auf einem Teller mit Papiertüchern abkühlen lassen. In einem kleinen Prozessor die Speck- und Koriandersamen mischen und fein zerkleinern (alternativ sehr fein hacken).

2. 1 Chili in dünne Scheiben schneiden und zum Garnieren beiseite stellen, dann die restlichen Chili fein hacken und mit Avocado, Zwiebel, Tomate, Korianderblättern und Limettensaft in einem Mörser oder einer großen Rührschüssel kombinieren. Mit einem Stößel oder einer Gabel zerdrücken, bis sich eine grobe Paste entwickelt.

3. In einer großen Pfanne das Öl bei starker Hitze erhitzen. Auf jeder Seite 30 Sekunden kochen lassen oder bis sie nur noch undurchsichtig sind, Jakobsmuscheln nach Bedarf würzen. Toasten Sie das Brot und verteilen Sie die Avocadomischung darauf. Jeweils 3 Jakobsmuscheln darauf, gefolgt von Speckstaub, geschnittenen Chilis und Kräutern. Und Limettenkeile an der Seite.

Karamellisierte Jakobsmuscheln mit Rote Beete, Walnüssen und Witz

Portionen: 4

ZUTATEN

- 1 Bund Rote Beete, geschrubbt
- 1 grüner Apfel, geviertelt, entkernt
- 2 roter Witz (belgischer Endivie), Blätter getrennt
- 100 g wilde Raketenblätter
- 8-12 Jakobsmuscheln, gereinigt
- 1 Esslöffel Olivenöl
- 2 Esslöffel grob gehackte Walnüsse, geröstet
- DRESSING
- 1/4 Tasse (60 ml) Olivenöl oder Walnussöl (siehe Anmerkungen)
- 2 Esslöffel Rotweinessig
- 1 Esslöffel Honig
- 1 Teelöffel Dijon-Senf

VORBEREITUNG

1. Den Ofen auf 180 Grad vorheizen.

2. Legen Sie die Rote Beete auf ein großes Blatt Folie und falten Sie es in zwei Hälften, um ein Paket zu erhalten. 1 Stunde rösten oder bis die Rüben weich sind. Nachdem die Rote Beete abgekühlt ist, schälen Sie sie und schneiden Sie sie in Keile.

3.Um das Dressing zuzubereiten, Oliven- oder Walnussöl, Essig, Honig und Senf in einer Rührschüssel verquirlen, mit Salz und Pfeffer würzen und mit einem Spritzer Wasser verdünnen. Den Apfel in dünne Scheiben schneiden und mit dem Witz und der Rucola in das Dressing werfen. Legen Sie es beiseite, wenn Sie mit der Zubereitung der Jakobsmuscheln fertig sind.

4. In einer trockenen Pfanne das Öl bei mittlerer Hitze erhitzen. Jakobsmuscheln mit Meersalz und frisch gemahlenem schwarzen Pfeffer würzen, nachdem sie mit Öl bestrichen wurden. Jakobsmuscheln auf jeder Seite 30 Sekunden lang in Chargen anbraten oder bis sie außen karamellisiert, in der Mitte jedoch undurchsichtig sind.

5. Werfen Sie den Salat zwischen die Teller und fügen Sie dann die Jakobsmuscheln, Rüben und Walnüsse hinzu. Mit dem restlichen Dressing beträufeln und servieren.

SEARED SCALLOPS MIT CHORIZO UND ROAST CAPSICUM

Portionen: 8

ZUTATEN

- 3 rote Paprika
- 2 reife Tomaten
- 1/2 Tasse (125 ml) Olivenöl
- 4 Eschalots, fein gehackt
- 4 Knoblauchzehen, fein gehackt
- 2 Chorizos (ca. 250 g), geschält, fein gehackt
- 2 EL gehackte Petersilie
- 16 große Jakobsmuscheln auf der Halbschale, Orangenrogen entfernt
- 1/2 TL geräucherter Paprika (Pimenton)

VORBEREITUNG

Den Backofen auf 200 Grad vorheizen. 25-30 Minuten braten, dabei einmal drehen, bis die Schalen verkohlt sind und das Fleisch weich ist, auf einem Backblech. Aus dem Ofen nehmen und zum Abkühlen in eine Plastiktüte legen. Schneiden Sie in der Zwischenzeit ein kleines Kreuz in die Basis jeder Tomate. 20 Sekunden in einem großen Topf mit kochendem Wasser blanchieren und dann 30 Sekunden in Eiswasser tauchen. Entfernen Sie die Samen und schneiden Sie das Fleisch nach dem Schälen fein. Aus der Gleichung streichen.

Brechen Sie die Paprika über einer Schüssel, bis sie ausreichend abgekühlt sind, um alle Säfte aufzufangen. Entfernen und entsorgen Sie die Haut und die Samen und hacken Sie die restlichen Zutaten fein. Den gehackten Paprika in die Rührschüssel geben.

5. In einer mittelgroßen Pfanne 100 ml Olivenöl erhitzen. Unter regelmäßigem Rühren 5 Minuten kochen lassen oder bis die Eschalots und der Knoblauch weich sind und die Chorizo gebräunt ist, bis die Eschalots und der Knoblauch weich sind und die Chorizo gebräunt ist. 3-5 Minuten köcheln lassen, bis ein Teil der überschüssigen Feuchtigkeit verdunstet ist und die Sauce dick, aber nicht trocken ist. Danach die Tomaten-Paprika-Mischung hinzufügen. Nach Zugabe der gehackten Petersilie mit Salz und Pfeffer würzen. Während Sie darauf warten, dass die Jakobsmuscheln kochen, halten Sie sie warm.

6. Legen Sie die Jakobsmuscheln beiseite, nachdem Sie sie von ihren Schalen getrennt haben. Nach dem Waschen der Muscheln beiseite legen und mit einem Papiertuch trocken tupfen.

7. In einer großen beschichteten Pfanne 2 Teelöffel Öl bei starker Hitze erhitzen. Die Jakobsmuscheln auf beiden Seiten mit Salz und Pfeffer würzen. Kochen Sie die Jakobsmuscheln an jeder Hand 1 Minute lang oder bis sie goldbraun, aber in der Mitte noch durchscheinend sind, in zwei Chargen. Wiederholen Sie den Vorgang mit dem restlichen Öl und den Jakobsmuscheln.

8. Werfen Sie die Jakobsmuscheln auf die Chorizo-Paprika-Sauce und verteilen Sie sie auf die Muscheln. Sofort servieren ..

SCALLOPS MIT BROTKRUMBEN, ERBSEN UND PROSCIUTTO

Portionen: 6

ZUTATEN

- 2 Esslöffel gehackte Petersilie
- 2 Knoblauchzehen, fein gehackt
- 4 Scheiben Schinken, gehackt
- Prise Chiliflocken
- 1 Tasse (70 g) Sauerteigbrotkrumen
- 1/4 Tasse (60 ml) natives Olivenöl extra
- 24 Jakobsmuscheln auf der Halbschale, Rogen entfernt
- 2 Tassen (240 g) gefrorene Erbsen
- 1/2 Tasse (40 g) fein geriebener Parmesan
- 2 Esslöffel trockener Weißwein

VORBEREITUNG

1. Puls Petersilie, Knoblauch, Schinken, Chili und Semmelbrösel zusammen in einem Mini-Prozessor. Mit Salz und Pfeffer würzen, dann pulsieren, bis alles gut vermischt ist. Legen Sie Jakobsmuscheln in ihren Schalen auf ein Backblech.

2. Stellen Sie den Grill auf mittlere bis hohe Hitze.

3. Erbsen 2 Minuten in kochendem Salzwasser blanchieren. Lass das Wasser ab. Würzen und mit Parmesan vermengen. Halte dich nass.

4. Den Wein über die Jakobsmuscheln träufeln und 1-2 Minuten grillen oder bis die Krümel golden sind und die Jakobsmuscheln nur noch gebraten sind. Auf einer Platte mit Parmesanerbsen servieren.

Jakobsmuscheln mit frischem Mango und Safransauce

Portionen: 6

ZUTATEN

- 2 reife Mangos
- 2 libanesische Gurken
- 1 Limette, entsaftet
- 5 ml (1 Teelöffel) Weißweinessig
- 40 ml (2 Esslöffel) Olivenöl plus extra zum Bürsten
- 1 Esslöffel gehackter frischer Koriander
- 300ml Weißwein
- 300 ml eingedickte Creme
- 1 Teelöffel Safranfäden
- 36 große Jakobsmuscheln mit Rogen, gereinigt

VORBEREITUNG

1.Schneiden Sie das Fruchtfleisch der Mangos nach dem Schälen in lange Streifen. Aus der Gleichung streichen.

2. Gurkenscheiben können mit einem Gemüseschäler in dünne Scheiben geschnitten werden. Limettensaft, Essig, Öl und Koriander in einer Rührschüssel vermischen.

3. In einem kleinen Topf Wein, Milch und Safran mischen und 5-6 Minuten kochen lassen oder bis sie eingedickt sind. Aus der Gleichung streichen.

4. Drei Jakobsmuscheln auf jeden Spieß legen und mit Olivenöl beträufeln. Salz und Pfeffer nach Geschmack. Die Jakobsmuscheln auf jeder Seite 1 Minute lang in einer beschichteten Pfanne bei starker Hitze undurchsichtig kochen. Mit Safrancreme und zwei Spießen Mango und Gurke auf jedem Teller servieren.

Gedämpfte Jakobsmuscheln mit chinesischem Gemüse

Portionen: 6

ZUTATEN

- 1/2 Teelöffel Sesamöl
- 1 Esslöffel Erdnussöl
- 1 Esslöffel geriebener Ingwer
- 2 Knoblauchzehen, fein gehackt
- 1 kleine rote Chili, Samen entfernt, fein gehackt
- 1/3 Tasse (80 ml) Sojasauce
- 24 Jakobsmuscheln in der Halbschale
- Koriander geht, um zu dienen

CHINESISCH GEWICKELTES GEMÜSE

- 100 ml Reisessig
- 2 Esslöffel Puderzucker

- 1/2 rote Zwiebel, dünn geschnitten
- 1 Karotte, in Streichhölzer geschnitten
- 1/2 libanesische Gurke, Samen entfernt, in Streichhölzer geschnitten

VORBEREITUNG

1.Um das Gemüse zuzubereiten, mischen Sie Essig und Zucker in einer Pfanne. Zum Kochen bringen und ständig umrühren, um den Zucker zu schmelzen. Reduzieren Sie die Hitze auf niedrig und kochen Sie weitere 2 Minuten. Vom Herd nehmen und nach dem Hinzufügen des Gemüses zum Abkühlen beiseite stellen.

2. Erhitzen Sie die Öle in einem Wok bei starker Hitze, fügen Sie dann Ingwer, Knoblauch und Chili hinzu und braten Sie sie einige Sekunden lang an. Nehmen Sie das Huhn heraus und geben Sie es in eine Schüssel mit 1/4 Tasse (60 ml) Wasser und Sojasauce.

3. In 2 breiten Bambusdampfern Jakobsmuscheln in einem Blatt anordnen. Mit Sauce belegen, dann die Dampfgarer stapeln, abdecken und 5 Minuten lang oder bis sie gerade über einem Wok oder einer großen Pfanne mit siedendem Wasser gekocht sind, dämpfen.

4. Belegen Sie jeden Teller mit vier Jakobsmuscheln, Gemüse und Koriander.

VEAL SCALLOPINE MIT Fenchel UND PARMESAN SALAT

Portionen: 4

ZUTATEN

- 4 x 150g Kalbsschnitzel
- 1 1/2 Tassen (225 g) Mehl, gewürzt
- 3 Tassen (210 g) Tag alte feine Semmelbrösel
- 2 Esslöffel fein gehackte Petersilie
- 1 Tasse (80 g) fein geriebener Parmesan
- 2 Eier, geschlagen mit 1 Esslöffel Dijon-Senf
- Leichtes Olivenöl zum Flachbraten
- Zitronenschnitze und Kartoffel püriert mit
- Geriebener Parmesan zum Servieren
- Fenchel und PARMESAN SALAT

- 1 rote Zwiebel, dünn geschnitten
- 1/4 Tasse (60 ml) Olivenöl
- 2 Esslöffel Zitronensaft
- 1 Fenchelknolle (oder 2 kleine), in dünne Scheiben geschnitten
- 2 Tassen flache Petersilienblätter
- 60 g Parmesan, rasiert
- 1 Tasse zerkleinerte Radicchio-Blätter

VORBEREITUNG

1.Um den Salat zuzubereiten, legen Sie die Zwiebel in eine kleine Schüssel und bedecken Sie sie 5 Minuten lang mit kochendem Wasser. Abgießen und zum Abkühlen beiseite stellen. Mit Salz und Pfeffer würzen, dann mit der Zwiebel und den restlichen Salatzutaten vermengen. Aus der Gleichung streichen.

2. Legen Sie das Kalbfleisch zwischen zwei Plastikfolien und rollen Sie es vorsichtig aus. Mehl in einer Pfanne verteilen. In einer separaten Pfanne Krümel, Petersilie und Parmesan vermischen. Das Kalbfleisch wird zuerst bemehlt, dann in Ei und dann in Krümel getaucht. In einer Pfanne mit mittlerer bis hoher Hitze das Öl erhitzen. Das Kalbfleisch in Portionen 2-3 Minuten auf jeder Hand oder bis es goldbraun ist kochen. Nehmen Sie überschüssige Flüssigkeit mit einem Papiertuch auf. Halten Sie sich warm, wenn Sie den Rest der Mahlzeit beendet haben. Mit Salat, Zitronenbrei und Parmesan servieren.

SCALLOPS MIT PEPERONATA UND AIOLI

Portionen: 4

ZUTATEN

- 290 g Glas Peperonata
- 2 Esslöffel Ardmona Pürierte Tomaten
- 20 Jakobsmuscheln ohne Rogen
- 2 Esslöffel Olivenöl
- 50g gemischte Babysalatblätter (Mesclun)
- Natives Olivenöl extra zum Nieseln
- 200 g Glas Aioli (Knoblauchmayonnaise)

VORBEREITUNG

1. In einem Topf die Peperonata und Passata 2-3 Minuten bei schwacher Hitze erhitzen oder bis sie durchgeheizt sind. Mit frisch gemahlenem schwarzen Pfeffer und Meersalz würzen.

2. Beide Seiten der Jakobsmuscheln mit Öl bestreichen und mit Salz und Pfeffer würzen. Die Jakobsmuscheln in einer breiten Pfanne bei starker Hitze 30 Sekunden pro Seite chargenweise kochen, bis sie goldbraun, aber in der Mitte noch durchscheinend sind.

3. Die Peperonata, Jakobsmuscheln und Salatblätter auf einzelnen Serviertellern zusammenstellen. Mit Salz und Pfeffer würzen, dann vor dem Servieren mit nativem Olivenöl extra und Aioli beträufeln.

SCALLOPS, JERUSALEM ARTICHOKES UND RADICCHIO

Portionen: 4

ZUTATEN

- 24 frische Jakobsmuscheln, Rogen befestigt
- 8 Topinambur
- Schale und Saft von 1 Zitrone
- 100 g ungesalzene Butter
- 2 Esslöffel natives Olivenöl extra
- Meersalz
- 1/2 Tasse (125 ml) Verjuice
- 2 Esslöffel frisch gehackte flache Petersilie
- 2-3 kleine Radicchio-Blätter pro Person zum Servieren

VORBEREITUNG

1. Jakobsmuscheln sollten gewaschen werden, indem der Verdauungstrakt abgekratzt wird, nicht jedoch der Rogen. Artischocken sollten geschält und der Länge nach dünn geschnitten werden. Um Verfärbungen zu vermeiden, tragen Sie einen Spritzer Zitronensaft auf. Artischocken, die nicht nass sind.

2. In einer beschichteten Pfanne die Hälfte der Butter und die Hälfte des Öls bei mittlerer Hitze schmelzen, bis sie nussbraun sind. Die Artischocken goldbraun braten (ggf. in Chargen). Legen Sie das Huhn auf einen Teller und legen Sie es beiseite.

3. Jakobsmuscheln mit Zitronenschale, Salz und schwarzem Pfeffer würzen. Bei mittlerer Hitze die restliche Butter und das Öl in der Pfanne schmelzen und die Jakobsmuscheln in zwei Chargen (da sie nicht pochieren dürfen) auf einer Seite goldbraun anbraten. Dann umdrehen, um die andere Seite zu kochen.

4.Verwenden Sie Verjuice, um die letzte Pfanne Jakobsmuscheln zu entfetten. Werfen Sie die Jakobsmuscheln, Artischocken und Petersilie zusammen. Nach Geschmack würzen und wenn möglich etwas mehr Zitronensaft und Öl hinzufügen. In Radicchio-Blättern servieren.

Jakobsmuscheln mit schwarzen Bohnen und Chili

Portionen: 4

ZUTATEN

- 3 Esslöffel chinesische gesalzene schwarze Bohnen, gespült
- 2 cm Stück frischer Ingwer, geschält, in sehr dünne Streichhölzer geschnitten
- 1 Teelöffel Zucker
- 1 Esslöffel chinesischer Reiswein (Shaohsing) oder trockener Sherry
- 3 Esslöffel (1/4 Tasse) Sojasauce
- 1 Teelöffel Sesamöl
- 8 frische Jakobsmuscheln auf der Schale
- 1 lange rote Chili, Samen entfernt, längs sehr fein geschnitten

VORBEREITUNG

1. Die Bohnen nach jedem Update ca. 5 Minuten in kaltem Wasser einweichen. Die Hälfte der Bohnen sollte abgetropft und vorsichtig zerkleinert werden.

2. Kombinieren Sie die Bohnen, Ingwer, Zucker, Reiswein, Sojasauce und Sesamöl in einer Rührschüssel. Gießen Sie die Sauce über die Jakobsmuscheln und belegen Sie sie mit den Chilis.

3.Die Jakobsmuscheln 4-5 Minuten oder bis sie gerade gekocht sind, in einem Dampfgarer über kochendem Wasser dämpfen. Sofort servieren.

Warmer Salat aus Jakobsmuscheln und Walnüssen

Portionen: 6

ZUTATEN

- 5 Scheiben Brot von guter Qualität
- 1/2 Tasse (125 ml) Olivenöl plus 1-2 Esslöffel extra für Croutons
- 24 Jakobsmuscheln, Rogen entfernt
- 1 Esslöffel Walnussöl
- 2 Esslöffel Sherryessig
- 100g Babysalatblätter (Mesclun)
- 1 Radicchio, äußere Blätter weggeworfen
- 1 Tasse Walnüsse, geröstet, gehackt

VORBEREITUNG

1. Schneiden Sie das Brot für die Croutons in sehr kleine Würfel. In einer Pfanne bei mittlerer Hitze das zusätzliche Olivenöl erhitzen und rotierend braten, um ein gleichmäßiges Garen zu gewährleisten, 3-4 Minuten lang oder bis es goldbraun ist.

2. Zum Abtropfen auf ein Papiertuch legen.

3. Mit einem Papiertuch die Jakobsmuscheln trocken tupfen und mit Salz und Pfeffer würzen.

4.Um das Dressing zuzubereiten, 1/3 Tasse (80 ml) Olivenöl, Walnussöl und Sherryessig verquirlen und abschmecken.

5. Werfen Sie die Salatblätter, Radicchio und Walnüsse mit den Croutons in eine Schüssel.

6.Wärmen Sie das restliche Öl in einer Pfanne bei starker Hitze und kochen Sie die Jakobsmuscheln, wenn es sehr heiß ist (möglicherweise müssen Sie dies in Chargen tun). Auf beiden Seiten 30 Sekunden kochen lassen oder außen goldgelb und in der Mitte undurchsichtig.

7.Legen Sie den Salat auf Servierteller, nachdem Sie ihn mit dem Dressing geworfen haben. 4 Jakobsmuscheln auf jeden Teller legen und sofort servieren.

Jakobsmuscheln mit würzigem Reis

Portionen: 4

ZUTATEN

- 12 große Jakobsmuscheln ohne Rogen
- 2 TL mildes Currypulver
- 1/2 TL brauner Zucker
- 1 EL Pflanzenöl
- 1 Tasse Basmatireis
- 1 TL gemahlene Kurkuma
- 1 Tasse gefrorene Erbsen
- 1 rote Chili, Samen entfernt, in Scheiben geschnitten
- 2 EL Cashewnüsse, leicht geröstet
- Brunnenkresse zum Garnieren (optional)

VORBEREITUNG

1. Die Jakobsmuscheln mit Currypulver, braunem Zucker und der Hälfte des Pflanzenöls in einem Plastikbehälter bestreichen. Bis zur Verwendung in den Kühlschrank stellen.

2. In einer Pfanne mit kochendem Salzwasser Basmatireis und Kurkuma vermischen. Unter gelegentlichem Rühren 8 Minuten bei mittlerer Hitze oder bis der Reis fast fertig ist kochen lassen. Nach dem Hinzufügen der Erbsen noch eine Minute kochen lassen. Die Mischung nach dem Abtropfen wieder in die Pfanne geben. Zurückgesetzt, geschützt.

3.Bürsten Sie das restliche Pflanzenöl in eine Antihaft-Bratpfanne und stellen Sie es bei starker Hitze auf. Kochen Sie die Jakobsmuscheln auf jeder Seite 1 Minute lang, wenn die Pfanne erhitzt wird. Den Reis auf Servierteller legen und nach dem Einrühren der geschnittenen Chilis mit den Cashewnüssen belegen. Mit den Jakobsmuscheln und, falls gewünscht, Brunnenkresseblättern servieren.

CHILLI JAM SCALLOPS MIT ASIATISCHEN GRÜNEN

Portionen: 4

ZUTATEN

- 2 Trauben chinesischer Brokkoli (Gai Lan), geschnitten, in 6 cm lange Stücke geschnitten
- 20 Jakobsmuscheln ohne Rogen
- 1 1/2 Esslöffel Chilimarmelade *
- 2 Teelöffel Olivenöl
- 1 kleine Zwiebel, dünn geschnitten
- 2 Teelöffel leichte Sojasauce

VORBEREITUNG

1.Dosieren Sie den chinesischen Brokkoli 2-3 Minuten lang bedeckt in einem großen Topf mit kochendem Wasser, bis er gerade zart ist. Lassen Sie das Wasser ab und legen Sie es beiseite.

2. Werfen Sie die Jakobsmuscheln in der Zwischenzeit mit 1 Esslöffel Chili-Marmelade. 1 Teelöffel Olivenöl 1 Teelöffel Olivenöl 1 Teelöffel Wenn die Pfanne erhitzt ist, fügen Sie die Jakobsmuscheln hinzu und kochen Sie sie jeweils 1 Minute lang oder bis sie fertig sind. Nehmen Sie die Pfanne vom Herd und decken Sie sie ab, um warm zu bleiben.

3. Reduzieren Sie die Hitze auf mittel und tragen Sie den restlichen Teelöffel Öl auf die Pfanne auf. 3-4 Minuten kochen lassen oder bis die Zwiebel weich ist. Die restlichen 1/2 Esslöffel Chilimarmelade und den Brokkoli dazugeben. Vom Herd nehmen und die Sojasauce auftragen.

4. Das Gemüse in Schalen geben und mit Jakobsmuscheln belegen.

Jakobsmuscheln mit Nudeln und Austernsauce

Portionen: 4

ZUTATEN

- 200g Päckchen Eiernudeln
- 2 Esslöffel Erdnussöl
- 1 Bund Broccolini, halbiert in Röschen und Stängel
- 24 Jakobsmuscheln (ohne Rogen)
- 2 Teelöffel Sesamöl
- 2 Esslöffel Austernsauce plus extra zum Nieseln
- 1 Teelöffel Sojasauce
- 1 Teelöffel Zucker
- 1 lange rote Chili, Samen entfernt, in dünne Scheiben geschnitten

- 1/2 Bund Frühlingszwiebeln, diagonal in dünne Scheiben geschnitten
- 1 Bund Koriander, Blätter gepflückt

VORBEREITUNG

Kochen Sie die Nudeln wie auf der Packung angegeben, lassen Sie sie abtropfen und werfen Sie sie mit 1 Teelöffel Erdnussöl.

In einem Topf mit kochendem Salzwasser die Broccolini 1 Minute lang blanchieren. Abgießen und unter kaltem fließendem Wasser abspülen.

Reinigen Sie die Jakobsmuscheln mit einem Papiertuch, bevor Sie sie mit Sesamöl bestreichen. In einer großen beschichteten Pfanne das restliche Erdnussöl bei mittlerer bis hoher Hitze erhitzen. Wenn die Pfanne erwärmt ist, fügen Sie die Jakobsmuscheln in 6 Chargen hinzu. Bei jeder Hand 1 Minute kochen lassen oder bis Brandspuren auftreten, die Mitte jedoch undurchsichtig bleibt. Zum Abkühlen auf einen Teller legen.

Rühren Sie die Austernsauce, Sojasauce, Zucker und 2 Esslöffel Wasser in der Pfanne zusammen. Die Jakobsmuscheln, Nudeln und Broccolini wieder in die Pfanne geben und schnell umrühren, um sie zu erhitzen. Chili, Frühlingszwiebel und Koriander in einer Rührschüssel vermischen. Sofort mit extra Austernsauce servieren.

LACHS UND Jakobsmuschel CEVICHE

Portionen: 6

ZUTATEN

- 400 g Lachsfilet, ohne Knochen
- 300 g Jakobsmuscheln, Rogen entfernt
- 1 Tasse (250 ml) frischer Limettensaft
- 4 reifen Tomaten, gehackt
- 3 lange grüne Chilis, Samen entfernt, fein gehackt
- 6 Frühlingszwiebeln, fein gehackt
- 1/3 Tasse gehackte Korianderblätter plus extra zum Garnieren
- 1/2 Telegraphengurke, geschält, gehackt
- 1 Avocado, Fleisch gehackt

- 1/4 Tasse (60 ml) Olivenöl
- Baby cos Salatblätter (1-2 pro Person, je nach Größe), zum Servieren

VORBEREITUNG

. Schneiden Sie die Meeresfrüchte in kleine Würfel und werfen Sie sie in eine Schüssel Limettensaft. 4 Stunden im Kühlschrank lagern, versiegelt. Lassen Sie den Saft ab und würzen Sie ihn mit Meersalz und Pfeffer, bevor Sie Tomaten, Chili, Frühlingszwiebeln, Koriander, Gurke, Avocado und Öl hinzufügen.

Zum Essen die Ceviche auf die Salatblätter auf Schalen legen. Sofort servieren, garniert mit zusätzlichen Korianderblättern und Limettenschnitzen, falls gewünscht.

FAZIT

LIEFERT OMEGA-3-FETTSÄUREN

Einer der Hauptgründe, warum Fisch so gut für uns ist, ist, dass er einen hohen Anteil an Omega-3-Fettsäuren enthält. In einer Welt, in der die meisten Menschen viel zu viele Omega-6-Fettsäuren aus raffinierten Pflanzenölen, Salatdressings und verarbeiteten Gewürzen konsumieren, ist es dringend erforderlich, die Anzahl der Omega-3-Lebensmittel zu erhöhen.

Omega-3-Fettsäuren wirken als Gegengewicht zu Omega-6-Fetten und helfen, Entzündungen gering zu halten, indem sie den Gehalt an Omega-3- und Omega-6-Fettsäuren ausgleichen. Omega-3-Fettsäuren gelten als entzündungshemmend, während Omega-6-Fettsäuren entzündungshemmend sind. Wir brauchen beide Arten, aber vielen Menschen fehlen Omega-3-Fettsäuren. Der Konsum höherer Omega-3-Spiegel wurde mit einer besseren psychischen Gesundheit, niedrigeren Triglyceridspiegeln, einer verbesserten reproduktiven Gesundheit und Fruchtbarkeit, einer besseren Hormonkontrolle und einem geringeren Diabetes-Risiko in Verbindung gebracht.

Hilft bei der Verringerung der Entzündung

Der Grund, warum die in Fischen enthaltenen Omega-3-Fettsäuren so wertvoll sind, liegt hauptsächlich in ihrer Fähigkeit, Entzündungen zu bekämpfen. Sie helfen bei der Bekämpfung entzündlicher Erkrankungen, die zu zahlreichen Krankheiten führen, darunter Krebs, rheumatoide Arthritis und Asthma.

Beide oben beschriebenen Arten von mehrfach ungesättigten Fetten spielen eine wichtige Rolle im Körper und tragen zur Bildung unserer Hormone, Zellmembranen und Immunantworten bei. Aber Omega-3- und Omega-6-Fettsäuren haben entgegengesetzte Wirkungen, wenn es um Entzündungen geht. Im Allgemeinen verursachen zu viel Omega-6 und zu wenig Omega-3 Entzündungen. Es wird angenommen, dass Entzündungen zur Entwicklung chronischer Erkrankungen wie Krebs, Diabetes, Herzerkrankungen und mehr beitragen.

FÖRDERT HERZGESUNDHEIT

EPA und DHA sind zwei Omega-3-Fettsäuren, die für die Kontrolle von Entzündungen und die Förderung der Herzgesundheit unerlässlich sind. Studien zeigen, dass der tägliche Konsum von EPA und DHA dazu beitragen kann, das Risiko von Herzerkrankungen und den Tod durch Herzerkrankungen zu verringern, manchmal so wirksam wie verschreibungspflichtige Medikamente wie Statine. Die Kombination von Nährstoffen in Meeresfrüchten hilft auch, den Herzschlag zu regulieren, den Blutdruck und das Cholesterin zu senken, die Bildung von Blutgerinnseln zu verringern und die Triglyceride zu senken. All dies kann zum Schutz vor Herzkrankheiten und Schlaganfällen beitragen.

Kann helfen, vor Krebs zu schützen

Untersuchungen zeigen, dass der Verzehr von mehr Fisch und Meeresfrüchten mit hohem Omega-3-Gehalt dem Immunsystem zugute kommt und zur Bekämpfung von Krebs beiträgt, indem Entzündungen unterdrückt werden. Während eine vegetarische Ernährung mit einer geringeren Inzidenz bestimmter Krebsarten (wie Darmkrebs) in Verbindung gebracht wurde, ist Pescatarianismus nach einigen Studien im Vergleich zu Vegetariern und Nichtvegetariern mit einem noch geringeren Risiko verbunden.

Mehrere Studien legen auch nahe, dass der Konsum von reichlich Omega-3-Fettsäuren denjenigen helfen kann, bei denen zuvor Krebs diagnostiziert wurde, indem das Tumorwachstum gestoppt wird. Ein pescatarischer Lebensstil mit hohem Omega-3-Gehalt kann auch Menschen helfen, die sich einer Chemotherapie oder anderen Krebsbehandlungen unterziehen, da sie dazu beitragen, die Muskelmasse aufrechtzuerhalten und Entzündungsreaktionen zu regulieren, die bei Krebspatienten bereits beeinträchtigt sind.

BEKÄMPFEN DEN KOGNITIVEN ABFALL

Omega-3-Fettsäuren wie DHA sind für die ordnungsgemäße Entwicklung des Gehirns und die Aufrechterhaltung der kognitiven Funktion im Alter von entscheidender Bedeutung. Viele Studien haben gezeigt, dass niedrige Omega-3-Spiegel bei älteren Menschen mit mehreren Markern für eine beeinträchtigte Gehirnfunktion verbunden sind, einschließlich Demenz oder Alzheimer-Krankheit. Niedrigere Omega-3-Spiegel während der Schwangerschaft wurden sogar mit Kindern in Verbindung gebracht, die niedrigere Gedächtnistestergebnisse und Lernschwierigkeiten aufweisen.

Steigert die Stimmung

Da sie oxidativen Stress bekämpfen, der die ordnungsgemäße Funktion des Gehirns beeinträchtigt, wurden die Omega-3-Fettsäuren aus Fisch und Meeresfrüchten mit einer besseren psychischen Gesundheit und einem geringeren Risiko für Demenz, Depressionen, Angstzustände und ADHS in Verbindung gebracht. Dies bedeutet, dass eine Pescatarian-Diät ein natürliches Mittel gegen Angstzustände sein und dabei helfen kann, die Symptome von ADHS zu lindern und gleichzeitig die Symptome einer Depression zu bekämpfen.

UNTERSTÜTZT GEWICHTSVERLUST

Viele Menschen haben begonnen, die Pescatarian-Diät zur Gewichtsreduktion zu verwenden, und das aus gutem Grund. Eine geringe Aufnahme von Omega-3-Fettsäuren wurde mit Fettleibigkeit und Gewichtszunahme in Verbindung gebracht. Studien zeigen auch, dass Menschen, die mehr pflanzliche Lebensmittel essen (einschließlich Vegetarier), tendenziell niedrigere BMIs und ein besseres Gewichtsmanagement haben, wahrscheinlich weil sie mehr Ballaststoffe und weniger Kalorien essen.

Nicht nur das, sondern auch gesunde Proteine und Fette sind entscheidend, um sich satt zu fühlen, und viele der in Fischen enthaltenen Nährstoffe können dazu beitragen, das Verlangen zu reduzieren. Streben Sie unabhängig von Ihrer Ernährung eine hohe Aufnahme von Obst, Gemüse, hochwertigen Proteinen, gesunden Fetten, Samen, Nüssen, Ballaststoffen und sekundären Pflanzenstoffen an. All dies kann Ihnen helfen, schnell Gewicht zu verlieren und es fernzuhalten.

Lightning Source UK Ltd.
Milton Keynes UK
UKHW052317100621
385265UK00008B/45